CHÂTELAINE
NOS MEILLEURS DESSERTS

Les Éditions
Rogers

À PROPOS DE CE LIVRE

DIRECTRICE DU PROJET NICOLE LABBÉ
DIRECTRICE ARTISTIQUE ISABELLE DUBUC
CONCEPTRICE GRAPHIQUE CATHERINE GRAVEL
COORDONNATRICE ÉDITORIALE LUCIE DESAULNIERS
COORDONNATRICE PHOTOS ANN ROSS
COLLABORATRICES CHRISTINE D'AOUST, LOUISE GAGNON, FRANCE GIGUÈRE, MONIQUE THOUIN

PHOTO DE LA COUVERTURE ANGUS FERGUSSON
PHOTOS DE LA COUVERTURE ARRIÈRE JOHN CULLEN, DANA DOROBANTU, CHRISTIAN LACROIX, JEAN LONGPRÉ, RYAN SZULC

PHOTOS DES RECETTES MICHAEL ALBERSTAT, ROBERTO CARUSO, JOHN CULLEN, DANA DOROBANTU, YVONNE DUIVENVOORDEN, ANGUS FERGUSSON, MICHAEL GRAYDON, CHRISTIAN LACROIX, JEAN LONGPRÉ, JODI PUDGE, LOUISE SAVOIE, RYAN SZULC, JAMES TSE

PHOTOS CORBIS CAROLINE ARBER/MOODBOARD ; PETER BAGI/GALERIES ; DAVID DE STEFANO/CULTURA ; DAN DUCHARS/THE FOOD PASSIONATES, ENVISION ; FEIG/THE FOOD PASSIONATES ; PETER FRANK ; NED FRISK PHOTOGRAPHY ; JAMIE GRILL/TETRA IMAGES, IMAGE SOURCE ; DAVID INNES/FOOD AND DRINK PHOTOS ; KATE KUNZ ; CAMILLE MOIRENC/HEMIS ; RADVANER/SOFOOD ; RIOU/SOFOOD ; LEW ROBERTSON ; BRETT STEVENS/CULTURA, TETRA IMAGES ; ARMAN ZHENIKEYEV ; TANYA ZOUEV/THE FOOD PASSIONATES

RECETTES ET STYLISME MURRAY BANCROFT, JULIA BLACK, MARTINE BLACKHURST, STEPHAN BOUCHER, LAURA BRANSON, HEIDI BRONSTEIN, CAROLYN LIM CHUA, ASHLEY DENTON, CATHERINE DOHERTY, ANNE GAGNÉ, LOUISE GAGNON, RUTH GANGBAR, DAVID GRENIER, JANE HARDIN, CATHERINE MACFADYEN, MONIQUE MACOT, VIRGINIE MARTOCQ, LARA MCGRAW, ESHUN MOTT, IRENE NGO, MALCOLM PATTERSON, SYLVAIN RIEL, AMY ROSEN, MONDA ROSENBERG, SASHA SEYMOUR, SHELLY SHNIER, ETTIE SHUKEN, NATALY SIMARD, CAROLYN SOUCH, CLAIRE STUBBS, CLAIRE TANSEY, VICTORIA WALSH

 ROGERS
LES ÉDITIONS ROGERS LIMITÉE
1200, AVENUE MCGILL COLLEGE, BUREAU 800
MONTRÉAL (QUÉBEC) H3B 4G7
TÉLÉPHONE : 514 845-5141
LESEDITIONSROGERS.CA

ÉDITRICE MARIE-JOSÉ DESMARAIS
DIRECTRICE DE LA DIFFUSION CATHERINE LOUVET
GESTIONNAIRE DE LA DIFFUSION SYLVIE BASTIEN
GESTIONNAIRE DES AFFAIRES MARIE-CLAUDE CARON
GESTIONNAIRE, DIVISION LIVRES LOUIS AUDET

CHÂTELAINE, NOS MEILLEURS DESSERTS
ISBN 978-0-88896-668-1
DÉPÔT LÉGAL : 4E TRIMESTRE DE 2013
BIBLIOTHÈQUE ET ARCHIVES NATIONALES DU QUÉBEC, 2013
BIBLIOTHÈQUE ET ARCHIVES CANADA, 2013

IMPRIMÉ EN OCTOBRE 2013, AU QUÉBEC

DIFFUSION MESSAGERIES DE PRESSE BENJAMIN
IMPRESSION IMPRIMERIES TRANSCONTINENTAL INTERGLOBE, BEAUCEVILLE, CANADA

— Table
des matières

Les bons ingrédients

Gâteaux et cupcakes

Tartes et tartelettes

Poudings, croustades et crèmes

Fruits et desserts glacés

Biscuits, brownies et carrés

Sucreries et friandises

Les bonnes bases

Index

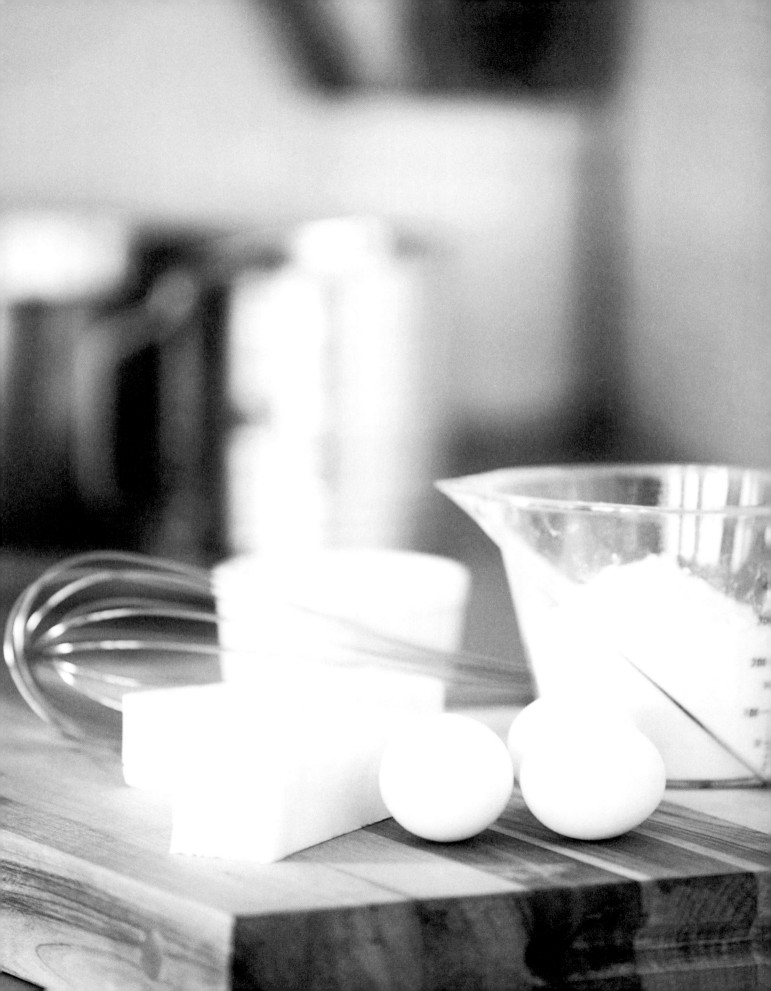

— Les bons ingrédients

Les farines

Indispensables, elles servent principalement à donner une structure aux gâteaux, aux biscuits, aux muffins et aux pâtes brisées.

— **FARINE TOUT USAGE** C'est la plus utilisée, en raison de sa versatilité. Débarrassée du son et du germe du grain de blé, elle confère plus de légèreté aux pâtisseries. La variante non blanchie est identique à la farine blanche tout usage, sauf qu'elle n'a pas été décolorée avec du peroxyde de benzoyle.

— **FARINE DE BLÉ ENTIER** Dans sa version industrielle, il s'agit de farine blanche additionnée de son. La farine de blé intégrale ou moulue sur pierre contient, pour sa part, toutes les parties du grain, y compris le son et le germe, qui lui donnent un léger goût de noisette et un meilleur profil nutritif. Comme elle est davantage sujette au rancissement, il est recommandé de la conserver au congélateur.

Au choix On peut remplacer la farine tout usage par de la farine de blé entier (sauf dans les gâteaux délicats), mais le produit sera plus foncé, légèrement plus dense et d'un goût plus prononcé. Pour atténuer ces effets, ne substituer que la moitié seulement de la quantité.

— **FARINE À GÂTEAU ET À PÂTISSERIE** Ayant une teneur en protéines moins importante, elle permet aux gâteaux de lever davantage, ce qui les rend plus légers. On peut aussi l'utiliser pour la confection de pâtes brisées et de biscuits bien tendres. Ne pas la confondre avec la farine préparée pour gâteau et pâtisserie (principalement sous la marque Brodie XXX), additionnée de poudre à lever et de sel.

Au choix On peut remplacer 250 ml (1 tasse) de farine tout usage par 250 ml (1 tasse) + 2 c. à soupe de farine à gâteau et à pâtisserie. À l'inverse, si on utilise de la farine tout usage plutôt que de la farine à gâteau et à pâtisserie, il faudra en retrancher 2 c. à soupe par 250 ml (1 tasse).

— **ET LES AUTRES...** Qu'elles proviennent du kamut, de l'épeautre, du blé Red Fife, du seigle, de l'avoine, du sarrasin, du soya, du millet ou du maïs, les autres farines non seulement ont des goûts différents, mais elles donnent aussi des desserts aux textures plus lourdes.

Au choix On peut remplacer la farine tout usage par l'une de ces farines, même si l'opération est délicate. En fait, il faut en substituer une partie seulement. De plus, un ajustement de la quantité de liquide sera nécessaire. Conclusion : mieux vaut se tourner vers des recettes spécialement adaptées à ces farines.

COMMENT MESURER LA FARINE
Même sans balance de cuisine, on peut obtenir une mesure juste en utilisant une tasse à mesurer pour ingrédients secs (sans rebord). Il faudra alors bien aérer la farine : la remuer dans son contenant à l'aide d'une cuillère, puis la déposer par cuillerées dans la tasse à mesurer, sans tasser. Remplir et égaliser avec la lame d'un couteau.

TEXTES : LOUISE GAGNON

Les agents sucrants

Incontournables, les sucres ne font pas que donner de la saveur. Ils jouent aussi un rôle dans la coloration, la texture et même la conservation.

— **SUCRE GRANULÉ BLANC** Granulé fin ou spécial fin, c'est celui qu'on utilise dans la plupart des recettes de desserts et de pâtisseries. Il provient généralement de la canne à sucre.

— **SUCRE GLACE** Finement broyé, ce « sucre en poudre » immaculé contient un peu de fécule de maïs, qui empêche la formation de grumeaux. On l'emploie surtout dans la confection des glaçages ou saupoudré sur les clafoutis et les beignes.

— **CASSONADE** Il s'agit de sucre blanc additionné de mélasse. Plus il y a de mélasse, plus la cassonade est foncée. Elle se distingue par son goût particulier et la texture humide qu'elle donne aux pâtisseries. Dans les recettes, la pâle et la foncée sont interchangeables.

Au choix On peut remplacer le sucre blanc granulé par une quantité équivalente de cassonade.

— **SIROP D'ÉRABLE** Il ajoute aux desserts un parfum inimitable. Pour bien en percevoir le goût, choisir un sirop classé médium ou ambré.

TRUCS SUCRÉS
• On peut réduire jusqu'à la moitié la quantité d'agents sucrants dans les recettes de gâteaux, biscuits, muffins et poudings – à condition de garder au moins 125 ml (1/2 tasse) de sucre pour chaque tasse de farine. On bonifie ainsi la valeur nutritive du dessert. Par contre, il perdra légèrement en volume et en tendreté et se conservera moins longtemps.
• Pour éviter que la cassonade durcisse, la placer dans un contenant hermétique dans lequel on aura déposé une tranche de pain frais ou un quartier de pomme (à remplacer régulièrement).
• Dans la confection du sucre à la crème, utiliser uniquement de la cassonade foncée pour obtenir un goût un peu plus prononcé de mélasse. Ou encore, uniquement de la cassonade dorée pour un sucre à la crème plus pâle, au goût délicat.
• Avant de mesurer le miel, le sirop d'érable ou la mélasse pour une recette qui exige aussi de l'huile, mesurer d'abord l'huile. Puis, une fois la tasse vidée mais non nettoyée, mesurer le liquide sucré. Celui-ci s'écoulera plus facilement.

Au choix On peut remplacer le sucre granulé blanc par une quantité équivalente de sirop d'érable. Dans les recettes de pâtisseries, pour chaque tasse de sucre remplacée par du sirop, réduire de 60 ml (1/4 tasse) la quantité de liquide ou augmenter la quantité de farine de 60 ml (1/4 tasse).

— **MIEL** Il parfume les desserts du nectar des fleurs butinées, que ce soit des fleurs sauvages, de trèfle ou de bleuets...

Au choix On peut remplacer 250 ml (1 tasse) de sucre blanc granulé par 180 ml (3/4 tasse) de miel. Dans les recettes de pâtisseries, pour chaque tasse de sucre remplacée par du miel, retrancher 2 c. à soupe de liquide et ajouter 1/4 c. à thé de bicarbonate de soude. Réduire la température du four de 15 °C (25 °F).

RECETTES MAISON
À concocter en moins de deux, des sucres pouvant être utilisés dans la préparation de tous les desserts.
• **Sucre vanillé.** Ne pas jeter une gousse de vanille dont on a retiré les graines en préparant une recette. La réserver plutôt pour en faire du sucre vanillé en l'insérant tout simplement dans un bocal rempli de sucre.
• **Sucre parfumé au citron.** Préchauffer le four à 90 °C (200 °F). Mélanger le zeste de 1 citron et 250 ml (1 tasse) de sucre. Étendre sur une plaque et faire sécher au four pendant 30 minutes. Laisser refroidir puis mettre dans un pot hermétique. Si désiré, ajouter 1/2 c. à soupe de fleurs de lavande (dans un carré d'étamine bien ficelé). Laisser le sucre s'imprégner des arômes du citron et de la lavande pendant au moins une semaine.

— **SIROP DE MAÏS** C'est parce qu'il est riche en glucose qu'il a sa place en confiserie. Ce sucre simple empêche la formation de cristaux indésirables dans les sauces au caramel, les fudges et la guimauve.

— **ET LES AUTRES...** De la canne à sucre proviennent plusieurs autres produits, moins raffinés que le sucre blanc granulé : les sucres demerara, brut de plantation, de canne blond ou doré, muscovado et sucanat. De différentes granulosités et textures, ils apportent des saveurs plus ou moins prononcées de caramel et de mélasse.

Au choix On peut remplacer le sucre blanc granulé ou la cassonade par une quantité équivalente de ces sucres.

Les crèmes et les laits

Ces ingrédients liquides participent à la texture humide des gâteaux et des muffins et à l'onctuosité des crèmes desserts.

— **CRÈME 15 %** (de table, épaisse, à cuisson, champêtre et à l'ancienne). Elles servent à napper les desserts ou les fruits frais et à confectionner des recettes de pain perdu, crème brûlée, panna cotta et sauce caramel. Toutes ces crèmes sont aussi onctueuses que la 35 %, à l'exception de la crème de table qui l'est moins.

— **CRÈME 35 %** (à fouetter « ordinaire », épaisse, à cuisson, champêtre et à l'ancienne). Indispensable pour faire la crème fouettée et les mousses. Pour bien monter, elle doit être très froide. **Truc :** la mettre au congélateur une dizaine de minutes avant de la fouetter. Une fois montée, la crème à fouetter « ordinaire » conserve moins longtemps sa forme que les autres crèmes 35 %, qui contiennent des agents stabilisants.

Au choix On peut remplacer la crème 35 % par de la crème 15 %, sauf dans la préparation de la crème fouettée.

LA DIFFÉRENCE ?
La crème de table et la crème à fouetter « ordinaire » ne contiennent pas les mêmes additifs que les autres crèmes (épaisse, à cuisson, champêtre et à l'ancienne.). Ces dernières contiennent des agents qui les rendent plus stables à la chaleur ou en présence d'ingrédients acides. Ces crèmes changent de nom selon les compagnies, c'est une question de marketing.

— **LAIT** Dans les gâteaux, les pains rapides et les muffins, il est employé pour sa teneur en eau. On peut utiliser au choix du lait écrémé, 1 %, 2 % ou 3,25 %. Dans les crèmes desserts, il convient aussi bien que la crème, ou presque... On y perdra quand même un peu sur le plan du goût et sur celui de la texture.

— **LAIT DE BEURRE (OU BABEURRE)** Autrefois un sous-produit du beurre, il est maintenant composé de lait écrémé additionné de bactéries lactiques. En plus de donner un goût agréablement aigrelet aux crèmes desserts, comme la panna cotta, son acidité participe à l'action levante du bicarbonate de soude. L'acidité nuit par ailleurs à la formation du gluten et favorise de ce fait la tendreté des muffins, des gâteaux et des pains rapides. **Truc :** Le lait de beurre se congèle.

DES INGRÉDIENTS À POINT !
Pour réussir ses gâteaux, utiliser des ingrédients à température ambiante :
● Sortir les œufs et le beurre du frigo 2 heures avant la confection d'un dessert. Sinon, placer les œufs dans un bol d'eau tiède pendant une dizaine de minutes, et couper le beurre en tranches très fines pour qu'il ramollisse (compter une bonne quinzaine de minutes).
● Sortir le lait du frigo 30 minutes avant de préparer le mélange. Sinon, le réchauffer au micro-ondes environ 25 secondes.

Les gras

Véhicules de saveurs, les matières grasses servent aussi à attendrir les gâteaux et les muffins ainsi que les pâtes brisées, en plus de contribuer à leur conservation.

— BEURRE D'une saveur unique, il donne de la légèreté, du moelleux et de la tendreté aux gâteaux et aux biscuits. En pâtisserie, on recommande de choisir le beurre non salé afin de mieux contrôler la quantité de sel intégrée aux recettes.

— HUILE VÉGÉTALE C'est la matière grasse de prédilection pour la confection de muffins ou de gâteaux mousseline. Utiliser une huile au goût neutre, celle de canola par exemple.

Au choix On peut remplacer 250 ml (1 tasse) de beurre par 180 ml (3/4 tasse) d'huile végétale. Le goût et la texture des pâtisseries seront toutefois différents. Par exemple, un gâteau sera plus lourd s'il contient de l'huile végétale. Car battre le beurre avec le sucre permet d'incorporer de l'air à la préparation, ce qui n'est pas le cas avec l'utilisation de l'huile. Faite d'huile végétale, la margarine non hydrogénée peut aussi remplacer le beurre dans les pâtisseries, en quantité équivalente.

COUPER DANS LE GRAS
On peut réduire la quantité de gras de moitié dans la plupart des recettes de gâteaux et de biscuits. Ils seront à peine moins légers. Un bémol cependant : ils se conserveront moins longtemps.

AUTOUR DU FOUR
• **Calibrer son four** On a un doute sur l'exactitude de la température de son four ? Il vaut mieux la vérifier à l'aide d'un thermomètre à four – un accessoire qui coûte tout au plus une quinzaine de dollars. Une variation de plus ou moins 15 ºC (25 ºF), dans un four réglé à 175 ºC (350 ºF) par exemple, aura une incidence sur la réussite de nos desserts. Dans ce cas, il est nécessaire d'ajuster le réglage du four en tenant compte de l'écart.
• **Choisir son étage** On disposera la grille du four selon le type de desserts à cuire.
En haut : desserts gratinés tels que crèmes brûlées, fruits et sabayons.
Au centre : gâteaux, muffins, biscuits et barres tendres.
En bas : tartes garnies, gâteaux des anges et soufflés.

— HUILE DE NOIX DE COCO Sans cholestérol, elle peut se substituer à d'autres matières grasses dans les recettes de biscuits et de pâtes brisées. Riche en gras saturés, elle est solide à température ambiante, ce qui permet d'obtenir des croûtes feuilletées. L'huile vierge de coco confère un goût de noix de coco, alors que celle qui est raffinée a un goût relativement neutre.

Au choix On peut remplacer 250 ml (1 tasse) de beurre par 180 ml (3/4 tasse) d'huile de noix de coco.

Les œufs

Entiers ou séparés, les œufs ont diverses fonctions en cuisine. Ils peuvent servir à structurer, attendrir, mousser, épaissir ou lier. C'est pourquoi ils sont tout simplement indispensables dans une foule de desserts.

Bon à savoir : En règle générale, les recettes sont mises au point à partir d'œufs de calibre gros. On peut cependant y substituer des œufs d'autres calibres, comme l'indique le tableau ci-contre.

CASSER LES ŒUFS

• Dans les recettes exigeant un grand nombre de blancs d'œufs, comme un gâteau des anges, on peut acheter un berlingot de blancs d'œufs. On évitera ainsi le gaspillage des jaunes.
• Pour séparer le blanc d'œuf du jaune : procéder lorsque l'œuf est froid (on laissera tempérer les œufs par la suite) ; séparer chaque blanc dans un bol vide pour s'assurer qu'il ne comporte aucune trace de jaune avant de l'ajouter aux autres blancs ; s'il y a un morceau de coquille ou du jaune dans les blancs d'œufs, le retirer à l'aide d'un morceau de coquille.
• Quand on monte des blancs d'œufs en neige, on doit s'assurer d'utiliser des fouets parfaitement propres. Une trace de gras ou de jaune d'œuf, par exemple, ne les empêchera pas de monter, mais réduira leur volume et leur tenue. Une pincée de crème de tartre contribuera au succès de l'opération.

POUR REMPLACER UN GROS COCO !

Œufs de calibre gros	Petit	Moyen	Extra gros
1	2	1	1
2	3	2	2
3	4	4	3
4	6	5	3
5	7	6	4
6	8	7	5

Source : Office canadien de commercialisation des œufs

FOUR TRADITIONNEL OU À CONVECTION ?

Dans un four à convection, les gâteaux, muffins et autres pâtisseries lèvent généralement davantage. De plus, leur surface devient plus dorée et plus croustillante.

En général, et chez *Châtelaine* notamment, les desserts sont cuits dans un four traditionnel. Si on utilise un four à convection, il importe donc d'ajuster la température et la durée de cuisson indiquées dans les recettes. Pour ce faire, on se référera au guide d'utilisation du manufacturier, ou encore on réduira la température demandée de 15 °C (25 °F) et le temps de cuisson de 25 %. Ainsi, pour une recette indiquant une cuisson de 40 minutes dans un four traditionnel à 150 °C (300 °F), on réglera le four à convection à 135 °C (275 °F) et on limitera la durée de cuisson à 30 minutes environ.

Le chocolat

Couramment utilisés dans les desserts pour leur parfum irrésistible, les différents types de chocolats ont toutefois chacun leurs particularités.

— **CACAO** Il existe deux types de cacaos (ou poudres de cacao). Le type alcalisé – comme celui de la marque Fry's et de la plupart des marques européennes – est employé par ceux qui créent des recettes. Son goût est moins acide et moins amer, plus fruité et plus chocolaté que le cacao naturel (de marque Hershey's, par exemple). Il est aussi plus foncé.
Attention : on ne peut pas remplacer le cacao par des préparations pour chocolat chaud, qui contiennent du sucre et des agents épaississants.

— **CHOCOLAT NON SUCRÉ** Très amer, il ajoute un goût chocolaté intense aux brownies et aux gâteaux déjà passablement sucrés. Ne pas l'utiliser pour remplacer le chocolat mi-amer et encore moins les autres.

— **CHOCOLATS NOIR, MI-AMER ET MI-SUCRÉ** Ils contiennent des quantités variables de sucre et de gras. Ils sont interchangeables, sauf dans le cas des chocolats noirs à plus de 85 % de cacao. Ces derniers contiennent une quantité beaucoup plus élevée de matière sèche, ce qui pourrait déséquilibrer toute la recette.

— **CHOCOLAT AU LAIT** Adouci par le sucre et les ingrédients laitiers, il peut être intégré dans bien des recettes. Une mise en garde toutefois : il brûle facilement. Et comme il est plus sucré et moins gras que les chocolats noir, mi-amer et mi-sucré, il ne faut pas s'attendre aux mêmes résultats en le substituant à l'un d'eux.

— **BRISURES DE CHOCOLAT** Elles n'ont pas les mêmes propriétés que les carrés, pastilles ou barres de chocolat. Elles gardent leur forme à la cuisson et sont donc parfaites dans les biscuits. Mais elles sont moins adaptées dans d'autres préparations et ne conviennent pas aux enrobages.

— **CHOCOLAT BLANC** Bien surveiller ce chocolat lorsqu'on le fait fondre, car il brûle facilement. On reconnaît la qualité à sa couleur. Une coloration crème ou ivoire indique la présence de beurre de cacao. Le chocolat industriel, composé surtout de graisses végétales et de sucre, est d'un blanc pur.

Miniglossaire

— **BICARBONATE DE SOUDE** Cette poudre blanche composée de sels alcalins réagit en présence d'un ingrédient acide (cacao naturel, jus de citron, lait de beurre, yogourt, miel, mélasse ou purée de fruits). **Truc :** Pour vérifier son efficacité, ajouter 1/4 c. à thé de bicarbonate de soude à 2 c. à thé de vinaigre. Il y aura effervescence si le bicarbonate de soude est encore actif. Si ce n'est pas le cas, il faut s'en procurer du frais.

— **CRÈME DE TARTRE** Sous-produit de la fabrication du vin, cette poudre blanche acide joue le rôle de stabilisant, en plus d'ajouter du volume aux blancs d'œufs en neige.

Au choix On peut remplacer la crème de tartre en ajoutant 1/4 c. à thé de jus de citron ou de vinaigre blanc pour chaque blanc d'œuf demandé dans la recette.

— **FÉCULE DE MAÏS** Elle est bien connue pour son rôle d'épaississant dans les sauces et les garnitures aux fruits.

Au choix On peut remplacer 1 c. à soupe de fécule de maïs par 1 c. à soupe de tapioca à cuisson rapide ou par 1 1/2 c. à thé de fécule de pomme de terre.

— **GÉLATINE** Inodore et incolore, la gélatine donne une texture unique aux gelées de fruits et aux mousses, ainsi qu'à la panna cotta et à la guimauve. Il faut toujours l'hydrater ou la faire gonfler dans un liquide froid avant de la dissoudre puis de la mélanger aux autres ingrédients.

— **NOIX** Elles n'ont pas leur pareille pour ajouter saveur et croquant ! Pour une fraîcheur optimale, acheter des noix entières ou en moitiés dans un commerce où il y a du roulement, puis les conserver au congélateur dans un contenant hermétique.

— **POUDRE À LEVER** Elle contient du bicarbonate de soude et un ingrédient acide qui, une fois mouillés, interagissent pour former des bulles de gaz. La préparation devient plus légère et lève, et cette action se poursuit sous l'effet de la chaleur. **Truc :** Pour vérifier son efficacité, ajouter 1 c. à thé de poudre à lever à 1/3 tasse (80 ml) d'eau chaude. Il y aura effervescence si la poudre à lever est encore active. Si ce n'est pas le cas, il faut s'en procurer de la fraîche.

GRILLER LES NOIX

Pour griller les amandes, les déposer sur une plaque de cuisson et les mettre au four à 160 °C (325 °F) environ 10 minutes, jusqu'à ce qu'elles soient dorées. Ou les faire griller à sec dans une poêle antiadhésive, sur feu moyen, en remuant jusqu'à ce qu'elles soient dorées et dégagent leur arôme.

Pour griller les noix, les déposer, entières, sur une plaque de cuisson. Faire griller au four à 135 °C (275 °F), de 30 à 35 minutes. Laisser tiédir les noix, puis les frotter dans un linge propre pour enlever les petites peaux. Les garder entières ou les hacher grossièrement. On peut aussi les faire griller au micro-ondes : les répartir alors en une seule couche dans une assiette ; les remuer toutes les minutes pendant la cuisson, soit de 2 à 4 minutes, selon la puissance du four et la variété de noix. Ou encore les faire griller dans une poêle, comme les amandes (voir ci-dessus).

— **SEL** Son rôle en pâtisserie se limite à rehausser la saveur des ingrédients (une pincée dans la pâte à biscuits en intensifie les arômes et le goût sucré). Il peut donc sans problème être utilisé en moindre quantité, ou même omis.

— **VANILLE** Elle donne un arôme délicat et inimitable toujours apprécié en pâtisserie.

Au choix On peut remplacer les graines d'une gousse de vanille par 1/2 à 1 c. à thé d'extrait de vanille naturelle ou 1/2 à 1 c. à soupe de sucre vanillé (voir technique p. 15).

— Gâteaux et cupcakes

beurre 250 g (1 tasse),
à température ambiante
sucre 210 g (1 tasse)
œufs 3, blancs et jaunes séparés
farine à gâteau et à pâtisserie
240 g (2 tasses)
sel 1/2 c. à thé
poudre à lever (poudre à pâte)
1 c. à thé
bicarbonate de soude 1 c. à thé
crème sure 250 ml (1 tasse)
zeste d'orange 1 c. à thé
graines de pavot 60 ml
(1/4 tasse)

CLÉMENTINES CONFITES ET LEUR SIROP
sucre 420 g (2 tasses)
eau 500 ml (2 tasses)
clémentines 4 à 5, non pelées,
en tranches de 5 mm (1/4 po)
Grand Marnier 3 c. à soupe

Gâteau à l'orange et clémentines confites

PRÉPARATION 30 MINUTES — **CUISSON** 50 MINUTES — 8 À 10 PORTIONS

Placer une grille au centre du four. Préchauffer le four à 175 °C (350 °F). Beurrer un moule à cheminée de 23 cm (9 po) de diamètre.

—**1** Dans un grand bol, battre le beurre et le sucre jusqu'à ce que le mélange soit lisse et léger. Ajouter les jaunes d'œufs, un à la fois, en mélangeant bien après chaque ajout. Dans un autre bol, tamiser la farine, le sel, la poudre à lever et le bicarbonate de soude. Incorporer au mélange beurre-sucre en alternant avec la crème sure. Ajouter le zeste d'orange et les graines de pavot.

—**2** Dans un bol, fouetter les blancs d'œufs jusqu'à ce qu'ils forment des pics, 2 ou 3 minutes. Les incorporer à la pâte en pliant délicatement avec une spatule – procéder en deux fois. Verser le mélange dans le moule. Cuire au centre du four 50 minutes. Laisser refroidir avant de démouler.

—**3** Pour la préparation des clémentines confites et de leur sirop : Dans une grande poêle, sur feu vif, porter à ébullition le sucre et l'eau. Laisser bouillir 5 minutes. Ajouter les tranches de clémentine et laisser frémir au moins 15 minutes. Retirer les clémentines du sirop. Les déposer sur une assiette.

—**4** Porter le sirop à ébullition et laisser réduire jusqu'à ce qu'il ait épaissi à la consistance désirée, environ 10 minutes. Ajouter le Grand Marnier. Retirer du feu et laisser refroidir.

—**5** Garnir le gâteau de clémentines confites et de sirop avant de servir.

— VARIANTE

Pour une version sans alcool, utiliser 360 g (1 3/4 tasse) de sucre seulement et remplacer le Grand Marnier par 60 ml (1/4 tasse) de miel. Ou omettre tout simplement le Grand Marnier.

lait 60 ml (1/4 tasse)

citrons 2, le zeste de 1 1/2 citron et 60 ml (1/4 tasse) de jus

farine tout usage 300 g (2 1/4 tasses), tamisée

graines de pavot 2 c. à soupe

poudre à lever (poudre à pâte) 2 c. à thé

sel 1/2 c. à thé

bicarbonate de soude 1/8 c. à thé

beurre non salé 180 g (3/4 tasse), à température ambiante

sucre 150 g (3/4 tasse)

miel 125 ml (1/2 tasse)

œufs 4

Cake au citron, au miel et aux graines de pavot

PRÉPARATION 25 MINUTES — **CUISSON** 1 HEURE 10 MINUTES — 12 PORTIONS

Placer une grille au centre du four. Préchauffer le four à 160 °C (325 °F). Beurrer et fariner un moule à cake de 25 cm x 11 cm (10 po x 4 1/4 po) ou un moule à pain de 23 cm x 13 cm (9 po x 5 po).

— **1** Dans un petit bol, verser le lait, le zeste et le jus de citron. Réserver.

— **2** Dans un grand bol, mélanger la farine, les graines de pavot, la poudre à lever, le sel et le bicarbonate de soude. Réserver.

— **3** Dans un autre grand bol, à l'aide d'un batteur électrique, battre le beurre quelques secondes pour le défaire en crème. Incorporer le sucre et le miel graduellement, jusqu'à ce que le mélange soit pâle, 4 ou 5 minutes. Incorporer les œufs, un à la fois, et continuer de battre jusqu'à ce que le mélange soit lisse et homogène, environ 3 minutes. À l'aide d'une cuillère en bois, incorporer les ingrédients secs en alternant avec les ingrédients liquides. Procéder en trois fois pour les ingrédients secs et en deux fois pour les ingrédients liquides – commencer et finir par les ingrédients secs.

— **4** Verser la pâte dans le moule et cuire au four environ 1 heure 10 minutes, ou jusqu'à ce qu'un cure-dents inséré au centre du cake en ressorte propre. Laisser tiédir. Démouler et laisser refroidir sur une grille.

— INGRÉDIENTS

cerises noires 1 boîte (398 ml), égouttées
beurre non salé 3 c. à soupe
cassonade 100 g (1/2 tasse), tassée
ananas frais 500 ml (2 tasses), coupé en morceaux de 1 cm (1/2 po)
rhum brun 3 c. à soupe

GÂTEAU
farine tout usage 180 g (1 1/2 tasse)
poudre à lever (poudre à pâte) 2 c. à thé
sel 1/2 c. à thé
gingembre moulu 1/4 c. à thé
beurre non salé 125 g (1/2 tasse), à température ambiante
sucre 150 g (3/4 tasse)
œufs 2
extrait de vanille 1 c. à thé
lait 80 ml (1/3 tasse)

Gâteau renversé à l'ananas et aux cerises

PRÉPARATION 35 MINUTES — **CUISSON** 45 MINUTES — 8 PORTIONS

Placer une grille au centre du four. Préchauffer le four à 175 °C (350 °F). Vaporiser d'huile un moule à gâteau rond antiadhésif de 23 cm (9 po) de diamètre. Tapisser le fond de papier sulfurisé (parchemin) et déposer le moule sur une plaque.

—**1** Réserver 125 ml (1/2 tasse) de cerises entières et hacher grossièrement le reste.

—**2** Dans une poêle, sur feu moyen-vif, faire fondre le beurre avec la cassonade en remuant de temps à autre jusqu'à ce que le mélange mijote, 2 ou 3 minutes. Ajouter l'ananas (sans le jus) et cuire en remuant jusqu'à ce qu'il soit tendre, sans plus, environ 3 minutes. Retirer du feu. Ajouter le rhum et les cerises entières. Étendre la préparation de fruits en une couche uniforme dans le moule, en disposant les cerises près du centre.

—**3** Pour la préparation du gâteau : Dans un bol de grosseur moyenne, mélanger la farine avec la poudre à lever, le sel et le gingembre. Dans un grand bol, à l'aide d'un batteur réglé à vitesse moyenne-élevée, battre le beurre et le sucre 3 minutes. Ajouter les œufs, un à la fois, en battant bien et en raclant la paroi du bol après chaque ajout. Verser la vanille en battant. Incorporer le tiers des ingrédients secs, puis la moitié du lait en battant à basse vitesse. Répéter ces deux opérations en terminant avec les ingrédients secs et battre jusqu'à ce que la pâte soit homogène. Incorporer les cerises hachées et étendre la pâte avec une cuillère sur la préparation de fruits – la pâte ne couvrira pas complètement les fruits, mais elle s'étendra en cuisant.

—**4** Enfourner et cuire jusqu'à ce que le gâteau soit gonflé et doré, environ 30 minutes. Couvrir de papier d'aluminium et poursuivre la cuisson 15 minutes, ou jusqu'à ce qu'un cure-dents inséré au centre du gâteau en ressorte propre. Retirer le gâteau du four et le laisser reposer 10 minutes. Passer un couteau autour du gâteau pour le détacher du moule, placer une grande assiette de service sur le gâteau et le retourner dans l'assiette. Démouler et retirer le papier sulfurisé (parchemin). Servir chaud ou à température ambiante.

PLUS On trouve les cerises noires en conserve dans les épiceries fines.

farine à gâteau et à pâtisserie
120 g (1 tasse)
sucre glace 60 g (1/2 tasse)
blancs d'œufs 12, environ 375 ml
(1 1/2 tasse), à température
ambiante
extrait de vanille 1 1/2 c. à thé
crème de tartre 1 1/2 c. à thé
sel 1/2 c. à thé
sucre 210 g (1 tasse)
framboises fraîches (garniture)

SAUCE AU CHOCOLAT ET AU CAFÉ
brisures de chocolat noir
125 ml (1/2 tasse)
crème 35 % 60 ml (1/4 tasse)
liqueur de café 3 c. à soupe

Gâteau des anges

PRÉPARATION 20 MINUTES — **CUISSON** 20 MINUTES — **ATTENTE** 1 HEURE — 12 PORTIONS

Placer une grille dans le tiers inférieur du four. Préchauffer le four à 245 °C (475 °F). Chemiser de papier sulfurisé (parchemin) un moule à cheminée de 23 cm (9 po) de diamètre. Si on utilise un moule à cheminée à fond amovible, il n'est pas nécessaire de le chemiser ni de le graisser.

— **1** Dans un bol, mélanger au fouet la farine et le sucre glace. Réserver.

— **2** Dans le bol d'un batteur sur socle, battre les blancs d'œufs à basse vitesse jusqu'à ce qu'ils soient légèrement mousseux, environ 2 minutes. Ajouter la vanille, la crème de tartre et le sel. Battre à vitesse moyenne jusqu'à ce que les blancs d'œufs forment des pics très mous, environ 2 minutes. Incorporer le sucre, 1 c. à soupe à la fois, en battant à vitesse moyenne jusqu'à ce que les blancs d'œufs forment des pics souples et brillants quand on soulève les fouets, 2 ou 3 minutes.

— **3** Tamiser environ le quart des ingrédients secs sur les blancs d'œufs et les incorporer en pliant délicatement avec une large spatule – laisser des traces de farine dans la pâte. Répéter avec le reste des ingrédients secs, sans laisser de traces de farine. Verser la pâte dans le moule. Passer un couteau dans la pâte plusieurs fois pour éliminer les bulles d'air. Couvrir le moule de papier d'aluminium en serrant bien.

— **4** Cuire au four 10 minutes. Retirer le papier d'aluminium, réduire la température du four à 220 °C (425 °F) et poursuivre la cuisson jusqu'à ce que le gâteau reprenne sa forme après une légère pression des doigts, environ 10 minutes.

— **5** Retourner le moule sur une grille ou une surface à l'épreuve de la chaleur et laisser refroidir le gâteau dans son moule environ 1 heure. Une fois le gâteau refroidi, le démouler en passant la lame d'un couteau autour de la paroi et de la cheminée du moule. Le déposer sur une assiette à gâteau. Ce gâteau se conserve jusqu'à 5 jours au réfrigérateur.

— **6** Pour la préparation de la sauce au chocolat et au café : Chauffer au micro-ondes à intensité moyenne les brisures de chocolat noir avec la crème 35 %, environ 2 minutes. Mélanger jusqu'à ce que le chocolat soit fondu. Incorporer la liqueur de café.

— **7** Trancher délicatement le gâteau des anges avec un couteau dentelé. Verser la sauce au chocolat et au café en filet sur les morceaux. Garnir de framboises.

— VARIANTE

Pour remplacer la sauce au chocolat et au café par une garniture au yogourt et au miel : Mélanger 500 ml (2 tasses) de yogourt grec nature avec 1 c. à soupe de miel. Verser en filet sur les morceaux de gâteau. Garnir de pistaches hachées et de framboises.

GÂTEAUX ÉPONGE

œufs 6, à température ambiante
sucre 150 g (3/4 tasse)
graines de pavot 3 c. à soupe
zeste d'orange 1 c. à soupe, râpé
farine tout usage 200 g
(1 1/2 tasse)
poudre à lever (poudre à pâte)
1 c. à thé
beurre 80 g (1/3 tasse), fondu
et refroidi

CRÈME CHANTILLY À L'ORANGE

crème à fouetter 35 %
500 ml (2 tasses)
sucre 6 c. à soupe
jus d'orange concentré surgelé
125 ml (1/2 tasse), décongelé
gingembre frais 2 c. à soupe,
haché finement

triple-sec 60 ml (1/4 tasse)
(facultatif)
graines de pavot (garniture)

Gâteau au pavot, à l'orange et au gingembre

PRÉPARATION 45 MINUTES — **CUISSON** 25 MINUTES — 10 PORTIONS

Placer une grille au centre du four. Préchauffer le four à 175 °C (350 °F). Beurrer et fariner deux moules à gâteau ronds de 23 cm (9 po) de diamètre.

— 1 Pour la préparation des gâteaux : Dans un grand bol, à l'aide d'un batteur électrique, battre les œufs avec le sucre environ 10 minutes, jusqu'à ce que le mélange soit très pâle et très léger. Incorporer les graines de pavot et le zeste d'orange.

— 2 Dans un autre bol, tamiser la farine et la poudre à lever. Incorporer délicatement les ingrédients secs au mélange d'œufs avec une spatule en caoutchouc. Verser le beurre en pliant délicatement avec la spatule et en évitant de trop brasser.

— 3 Répartir dans les moules et étaler délicatement la pâte. Cuire au four environ 25 minutes, ou jusqu'à ce qu'un cure-dents inséré au centre de chaque gâteau en ressorte propre. Laisser refroidir 5 minutes, puis démouler sur une grille.

— 4 Pour la préparation de la crème chantilly à l'orange : Dans un bol froid, fouetter la crème avec le sucre jusqu'à l'obtention de pics fermes, environ 2 ou 3 minutes. Incorporer le jus d'orange concentré et le gingembre frais. Réserver au réfrigérateur.

—5 Pour le montage du gâteau : Lorsque les gâteaux éponge sont froids, les couper en deux sur l'épaisseur. Déposer la moitié inférieure d'un gâteau dans une assiette de service. Y verser 1 c. à soupe de triple-sec et tartiner d'un peu de crème chantilly à l'orange. Recouvrir d'une autre moitié de gâteau. Répéter les opérations avec les deux autres moitiés de gâteau pour former quatre étages. Garnir le dessus du gâteau avec le reste de la chantilly et parsemer de graines de pavot.

PLUS

Le gâteau éponge doit sa légèreté à la grande quantité de blancs d'œufs en neige. Pour un résultat impeccable, on doit utiliser un bol et des fouets parfaitement propres pour battre les œufs.

beurre 125 g (1/2 tasse)

cassonade 100 g (1/2 tasse), tassée

œuf 1, battu

farine à gâteau et à pâtisserie 160 g (1 1/3 tasse)

cannelle moulue 1 c. à thé

piment de la Jamaïque moulu 1 c. à thé

lait 125 ml (1/2 tasse)

pommes 2 grosses, pelées et coupées en lamelles

beurre 1 c. à soupe, fondu

sucre 2 c. à soupe

crème fouettée ou crème glacée à la vanille (facultatif)

Gâteau aux pommes

PRÉPARATION 20 MINUTES — **CUISSON** 45 MINUTES — 6 PORTIONS

Préchauffer le four à 190 °C (375 °F). Beurrer un moule à charnière de 23 cm (9 po) de diamètre.

—**1** Dans un grand bol, battre le beurre et la cassonade. Incorporer l'œuf.

—**2** Dans un autre bol, tamiser la farine, la cannelle et le piment de la Jamaïque. Incorporer au mélange beurre-cassonade en alternant avec le lait. Bien mélanger.

—**3** Verser la pâte dans le moule. Disposer les lamelles de pomme en rosace sur le dessus. Les badigeonner de beurre fondu et saupoudrer de sucre.

—**4** Cuire au centre du four de 45 à 50 minutes, ou jusqu'à ce que le gâteau soit doré et qu'un cure-dents inséré au centre en ressorte propre. Servir tiède, accompagné de crème fouettée ou de crème glacée à la vanille, si désiré.

PLUS

Les meilleures pommes pour la préparation de tartes, gâteaux et croustades ? Celles qui ne se déforment pas à la cuisson : Russet, Lobo, Spartan, Empire et Cortland.

GÂTEAUX AU CHOCOLAT

farine tout usage non blanchie
390 g (3 tasses)

poudre de cacao 90 g (1 tasse),
de type Fry's

poudre à lever (poudre à pâte)
2 c. à thé

bicarbonate de soude 1 c. à thé

sel 1/2 c. à thé

beurre non salé 310 g
(1 1/4 tasse), à température
ambiante

sucre 315 g (1 1/2 tasse)

cassonade 235 g (1 1/2 tasse),
tassée légèrement

œufs 5

extrait de vanille 1 1/2 c. à thé

lait 410 ml (1 2/3 tasse)

TARTINADE POIRES-GINGEMBRE

poires Bartlett 1,5 litre
(6 tasses), pelées et coupées
en tranches minces

sucre 210 g (1 tasse)

sirop de maïs clair
1 1/2 c. à soupe

eau froide 3 c. à soupe

gingembre frais 2 c. à soupe,
râpé

● **glaçage au chocolat**
(voir recette, p. 171)

● **chips de poire** (voir technique,
p. 173) (facultatif)

● **plaquettes de chocolat**
(voir technique, p. 170)

Gâteau choco-poires

PRÉPARATION 2 HEURES 15 MINUTES — **CUISSON** 2 HEURES — **ATTENTE** 1 HEURE — 12 À 16 PORTIONS

Placer une grille au centre du four. Préchauffer le four à 175 °C (350 °F). Beurrer et fariner deux moules à charnière : un de 23 cm (9 po) et l'autre de 18 cm (7 po). Tapisser le fond des moules de papier sulfurisé (parchemin).

—**1** Pour la préparation des gâteaux : Dans un grand bol, tamiser la farine, le cacao, la poudre à lever, le bicarbonate de soude et le sel.

—**2** Dans le bol d'un batteur sur socle, battre le beurre quelques secondes pour le défaire en crème. Incorporer le sucre et la cassonade et battre jusqu'à ce que le mélange devienne léger, 4 ou 5 minutes. Ajouter les œufs, un à la fois, en battant jusqu'à ce que le mélange soit lisse et homogène, environ 4 minutes. Ajouter la vanille. À basse vitesse ou à la main, incorporer les ingrédients secs en alternant avec le lait. Procéder en trois fois pour les ingrédients secs et en deux fois pour le lait – commencer et finir par les ingrédients secs.

—**3** Répartir la pâte dans les moules en prenant soin d'obtenir la même hauteur de pâte dans chacun. Cuire le plus petit gâteau de 55 minutes à 1 heure et le plus grand de 1 heure 10 minutes à 1 heure 15 minutes, ou jusqu'à ce qu'un cure-dents inséré au centre des gâteaux en ressorte propre. Laisser tiédir 10 minutes. Démouler et laisser refroidir sur une grille.

—**4** Pour la préparation de la tartinade poires-gingembre : Dans une casserole, sur feu moyen-vif, cuire les morceaux de poire afin de les attendrir et d'en faire évaporer le jus, environ 35 minutes, en remuant de temps à autre.

—**5** Entre-temps, mettre à tremper un pinceau à pâtisserie dans un verre d'eau froide. Dans une petite casserole, mélanger le sucre, le sirop de maïs et l'eau. Porter à ébullition sur feu moyen. Si des cristaux de sucre se forment sur la paroi de la casserole, y passer le pinceau mouillé pour les dissoudre. Cuire, sans brasser, jusqu'à ce que le sucre soit dissous, 5 ou 6 minutes, puis cuire sur feu vif 5 minutes ou jusqu'à ce que le caramel soit ambré. Éviter de brasser le caramel. Au besoin, remuer délicatement la casserole en la tenant par le manche.

—**6** Retirer du feu et verser lentement le caramel dans la casserole de poires. Ajouter le gingembre. Bien mélanger. Poursuivre la cuisson en brassant régulièrement jusqu'à l'obtention d'une purée épaisse, de 5 à 10 minutes. Au besoin, écraser les fruits avec un pilon à pommes de terre. Laisser refroidir. Couvrir et réfrigérer jusqu'au moment de monter le gâteau.

—**7** Pour le montage du gâteau : Sur une surface de travail, à l'aide d'un couteau denté, couper chacun des gâteaux en trois étages.

—**8** Étendre la tartinade aux poires entre les étages des gâteaux, mais pas sur le dessus (utiliser les 2/3 de la tartinade pour le plus gros et 1/3 pour le plus petit).

—**9** Déposer le plus gros gâteau sur une assiette de service. À l'aide d'une spatule, recouvrir le gâteau avec environ les 2/3 du glaçage au chocolat. Déposer le petit gâteau par-dessus en le centrant. Recouvrir avec le reste du glaçage.

—**10** Garnir le tour du grand gâteau avec les chips de poire, si désiré. Déposer les plaquettes de chocolat sur le dessus du petit gâteau. Réfrigérer jusqu'au moment de servir. Le gâteau monté se conserve jusqu'à 6 heures au réfrigérateur.

crème sure 180 ml (3/4 tasse)
bicarbonate de soude
1 1/2 c. à thé
chocolat noir 70 % 200 g
cassonade 320 g (2 1/4 tasses),
non tassée
beurre 180 g (3/4 tasse),
à température ambiante
œufs 3
farine à gâteau et à pâtisserie
360 g (3 tasses)
café fort 180 ml (3/4 tasse),
chaud
pacanes 75 g (3/4 tasse), hachées
grossièrement

• **ganache** (voir recette,
p. 170) 125 ml (1/2 tasse)

Gâteau au chocolat

PRÉPARATION 25 MINUTES — **CUISSON** 35 MINUTES — 16 PORTIONS

Placer une grille au centre du four. Préchauffer le four à 175 °C (350 °F). Beurrer un moule à paroi lisse ou cannelée de 25 cm (10 po).

— 1 Dans un petit bol, à l'aide d'une fourchette, mélanger la crème sure et le bicarbonate de soude. Réserver.

— 2 Casser le chocolat en morceaux et le faire fondre au bain-marie (l'eau doit être chaude, mais pas bouillante) en remuant souvent, jusqu'à ce qu'il soit aux trois quarts fondu. Retirer du feu et remuer jusqu'à ce qu'il soit complètement fondu. Attention de ne pas trop chauffer. (Pour faire fondre le chocolat au micro-ondes, le casser en morceaux et chauffer, à intensité moyenne, 1 minute. Remuer, remettre au micro-ondes 30 secondes. Quand le chocolat est aux trois quarts fondu, le remuer jusqu'à ce qu'il soit complètement fondu.)

— 3 Dans le récipient d'un robot culinaire muni d'un fouet, mélanger à vitesse moyenne la cassonade, le beurre et les œufs jusqu'à ce que le mélange soit homogène. Incorporer la crème sure tout en malaxant. Ajouter le chocolat fondu au fur et à mesure, puis, graduellement, 120 g (1 tasse) de farine à gâteau et à pâtisserie et la moitié du café chaud. Répéter ces deux opérations en terminant par la farine. Ajouter les pacanes en pliant délicatement avec une spatule.

— 4 Verser la pâte dans le moule. Cuire au four de 35 à 40 minutes, ou jusqu'à ce qu'un cure-dents inséré au centre du gâteau en ressorte propre. Laisser reposer sur une grille pendant 5 minutes. Démouler et déposer sur un plat de service. Verser la ganache sur le gâteau au moment de servir.

PLUS Attention : ne pas utiliser d'ustensiles mouillés quand on fait fondre le chocolat, il figerait.

GÂTEAUX À L'ANANAS

farine tout usage non blanchie
390 g (3 tasses)
poudre à lever (poudre à pâte)
1 c. à soupe
sel 1/4 c. à thé
lait 80 ml (1/3 tasse)
jus d'ananas 180 ml (3/4 tasse)
jus de lime 1 c. à soupe
beurre non salé 250 g (1 tasse),
à température ambiante
sucre 560 g (2 2/3 tasses)
œufs 5 gros, à température
ambiante
extrait de vanille 1 1/2 c. à thé

TARTINADE À LA MANGUE
PARFUMÉE À LA LIME

mangues fraîches 750 ml
(3 tasses), coupées en cubes
sucre 3 c. à soupe
fécule de maïs 1 c. à soupe
jus d'ananas ou eau de coco
3 c. à soupe (voir Copeaux de noix
de coco séchés, p. 173)
lime 1, zeste + 1 c. à soupe de jus

GLAÇAGE CUIT

blancs d'œufs 3
sucre 315 g (1 1/2 tasse)
jus d'ananas 4 c. à soupe
beurre 3 c. à soupe, à température
ambiante, coupé en morceaux
extrait de vanille 3/4 c. à thé

**• copeaux de noix de coco
séchés** (voir technique, p. 173)
(facultatif)

Gâteau blanc des tropiques

PRÉPARATION 1 HEURE 30 MINUTES — **CUISSON** 1 HEURE 20 MINUTES — 12 À 16 PORTIONS

Placer une grille au centre du four. Préchauffer le four à 175 °C (350 °F). Beurrer et fariner deux moules à charnière de 20 cm (8 po). Tapisser le fond des moules de papier sulfurisé (parchemin).

—1 Pour la préparation des gâteaux à l'ananas : Dans un bol, tamiser la farine, la poudre à lever et le sel. Réserver. Dans un autre bol, mélanger le lait, les jus d'ananas et de lime. Réserver.

—2 Dans un grand bol, au batteur électrique, battre le beurre en crème quelques secondes. Ajouter le sucre graduellement et continuer de battre jusqu'à ce que le mélange soit souple et léger, environ 5 minutes. Incorporer les œufs, un à la fois, en battant jusqu'à ce que le mélange soit très pâle et lisse, environ 3 minutes. Ajouter la vanille. À basse vitesse ou à la main, incorporer les ingrédients secs en alternant avec le mélange de lait et de jus. Procéder en trois fois pour les ingrédients secs et en deux fois pour le liquide – commencer et finir par les ingrédients secs.

—3 Répartir la pâte dans les moules. Cuire au four de 50 à 55 minutes, ou jusqu'à ce qu'un cure-dents inséré au centre des gâteaux en ressorte propre. Laisser tiédir 10 minutes. Démouler et laisser refroidir sur une grille.

—4 Pour la préparation de la tartinade à la mangue : Dans le récipient d'un mélangeur ou d'un robot culinaire, réduire les mangues en purée. Verser dans une casserole, ajouter le sucre et cuire sur feu moyen-vif, environ 5 minutes, en remuant régulièrement.

—5 Dans un petit bol, délayer la fécule de maïs dans l'eau de coco. Ajouter à la purée de mangue. Amener à ébullition et poursuivre la cuisson sur feu moyen 5 minutes ou jusqu'à ce que la préparation épaississe, en remuant continuellement. Laisser tiédir 10 minutes. Ajouter le zeste et le jus de lime. Réserver au réfrigérateur.

—6 Pour la préparation du glaçage cuit : Dans la moitié supérieure d'un bain-marie, au-dessus de l'eau frémissante ou bouillante (sans laisser le fond de la partie supérieure toucher l'eau), à l'aide d'un batteur électrique, fouetter à grande vitesse les blancs d'œufs, le sucre et le jus d'ananas de 7 à 10 minutes environ ou jusqu'à la formation de pics recourbés. Retirer la partie supérieure du bain-marie.

—7 Ajouter le beurre et la vanille et mélanger délicatement à la cuillère. Laisser refroidir avant de glacer le gâteau.

—8 Pour le montage du gâteau : Sur une surface de travail, avec un couteau dentelé, couper chacun des gâteaux en deux étages.

—9 Mettre la base d'un des gâteaux sur une assiette de présentation. À l'aide d'une spatule, couvrir cette base avec la moitié de la tartinade à la mangue. Y déposer l'autre partie du gâteau. Couvrir avec environ 125 ml (1/2 tasse) du glaçage cuit à l'aide d'une spatule. Y superposer la base du deuxième gâteau. Recouvrir du reste de tartinade à la mangue. Y déposer l'autre partie de ce gâteau. Étendre le reste du glaçage cuit sur le dessus et tout le pourtour. Garnir des copeaux de noix de coco (environ 1/2 noix de coco), si désiré. Réfrigérer jusqu'au moment de servir. Le gâteau monté se conserve jusqu'à 6 heures au réfrigérateur.

chocolat noir de bonne qualité
170 g

crème à fouetter 35 % 160 ml
(2/3 tasse)

beurre non salé 60 g (1/4 tasse),
à température ambiante

sucre 1 c. à soupe

poudre de cacao (garniture)

fruits frais (figues, bleuets,
mûres, raisins de Corinthe)
(garniture)

crème fouettée (garniture)
(facultatif)

Pavé au chocolat

PRÉPARATION 10 MINUTES — **CUISSON** 3 MINUTES — **ATTENTE** 7 HEURES — 4 PORTIONS

Chemiser un petit moule à pain de 15 cm x 9 cm (6 po x 3 1/2 po) de pellicule de plastique en la laissant dépasser de chaque côté.

— **1** Dans un bol en verre, mettre le chocolat, la crème, le beurre et le sucre. Faire fondre au micro-ondes 3 minutes, à intensité moyenne, en remuant de temps à autre (ou faire fondre dans une casserole sur feu moyen).

— **2** Verser la préparation dans le moule. Égaliser le dessus. Ramener la pellicule de plastique sur le pavé. Réfrigérer jusqu'à ce que la préparation soit ferme, au moins 6 heures. Ce pavé se conserve 3 jours au réfrigérateur.

— **3** Sortir du réfrigérateur 1 heure avant de servir. Démouler et parsemer de poudre de cacao. Garnir de fruits frais. Accompagner de crème fouettée, si désiré.

PLUS

Un petit moule à pain en aluminium recyclable est parfait pour réaliser cette recette.

CROÛTE AUX PACANES
farine tout usage 130 g (1 tasse)
cassonade 40 g (1/4 tasse), non tassée
beurre non salé 60 g (1/4 tasse), à température ambiante
pacanes 25 g (1/4 tasse), hachées

GARNITURE AU FROMAGE À LA CRÈME
fromage à la crème 3 paquets de 250 g chacun, à température ambiante
sucre 150 g (3/4 tasse)
farine tout usage 2 c. à soupe
œufs 3
crème sure 250 ml (1 tasse)
sirop d'érable 80 ml (1/3 tasse)
arôme artificiel d'érable 1/2 c. à thé
pacanes 35 g (1/3 tasse), hachées
petits fruits (framboises, bleuets, mûres, fraises, etc.)

Gâteau au fromage érable et pacanes

PRÉPARATION 20 MINUTES — **CUISSON** 55 MINUTES — **ATTENTE** 2 HEURES — 12 À 16 PORTIONS

Placer une grille au centre du four. Préchauffer le four à 175 °C (350 °F). Beurrer un moule à charnière de 23 cm (9 po) de diamètre.

— 1 Pour la préparation de la croûte aux pacanes : Dans le récipient d'un robot culinaire, mélanger la farine, la cassonade et le beurre. Ajouter les pacanes et mélanger. Presser ce mélange dans le fond du moule. Cuire au centre du four 10 minutes. Laisser refroidir sur une grille.

— 2 Entre-temps, pour la préparation de la garniture au fromage à la crème : Dans un grand bol, battre le fromage à la crème avec le sucre et la farine. Ajouter les œufs, un à la fois, en battant, puis la crème sure. Verser le sirop et l'arôme d'érable. Mélanger. Incorporer les pacanes. Étaler sur la croûte cuite.

— 3 Cuire au four 45 minutes ou jusqu'à ce que le centre du gâteau soit presque pris – la garniture doit être encore tremblotante, mais le pourtour ferme. Éteindre le four. Détacher le gâteau de la paroi du moule avec la lame d'un couteau et le laisser reposer au four dans son moule, 2 heures, porte entrouverte. Ces précautions vont permettre au gâteau de moins se fendiller au centre en refroidissant. Au moment de servir, garnir généreusement le dessus du gâteau au fromage de petits fruits.

CANNEBERGES À LA CARDAMOME

canneberges fraîches ou surgelées 500 ml (2 tasses)

eau 2 c. à soupe

sucre 50 g (1/4 tasse)

cardamome moulue 1/4 c. à thé

orange 1/2, le zeste très finement râpé

CRÈME D'AGRUMES

jaunes d'œufs 3

sucre 100 g (1/2 tasse)

zeste de citron 2 c. à thé

zeste de pamplemousse rose 2 c. à thé

jus de pamplemousse rose 90 ml (1/3 tasse + 1 c. à soupe)

beurre non salé 2 c. à soupe

crème à fouetter 35 % 180 ml (3/4 tasse)

MERINGUE

blancs d'œufs 2, à température ambiante

sucre 100 g (1/2 tasse)

fécule de maïs 1/2 c. à thé

vinaigre blanc 1/2 c. à thé

zestes d'agrumes (en garniture)

Pavlova, crème d'agrumes et canneberges

PRÉPARATION 1 HEURE — **CUISSON** 55 MINUTES — **ATTENTE** 8 HEURES — 8 À 10 PORTIONS

—**1** Pour la préparation des canneberges à la cardamome : Dans une casserole, mélanger les canneberges, l'eau, le sucre et la cardamome. Chauffer sur feu moyen-vif, en remuant de temps à autre, jusqu'à ce que les canneberges commencent à éclater, soit de 2 à 3 minutes après l'ébullition. Retirer du feu. Ajouter le zeste d'orange. Laisser refroidir la préparation. Conserver dans un contenant hermétique au réfrigérateur (jusqu'à 3 jours).

— **2** Pour la préparation de la crème d'agrumes : Dans une casserole à fond épais (éviter l'aluminium), hors du feu, fouetter les jaunes d'œufs et le sucre. Ajouter le zeste des agrumes et le jus de pamplemousse. Bien mélanger jusqu'à ce que la préparation soit lisse et homogène.

— **3** Incorporer le beurre et cuire, sur feu moyen, en remuant fréquemment à l'aide d'un fouet, jusqu'à ce que la préparation épaississe, de 10 à 15 minutes. Retirer du feu. À ce stade, elle doit avoir un volume d'environ 310 ml (1 1/4 tasse). Tamiser, si désiré, pour enlever le zeste. Laisser tiédir. Couvrir et réfrigérer (jusqu'à 3 jours).

— **4** Dans un petit bol bien froid, verser la crème à fouetter. Au batteur électrique, fouetter jusqu'à ce que la crème forme des pics mous, environ 1 minute. Incorporer la crème fouettée froide à la crème d'agrumes froide en pliant délicatement avec une spatule. Réserver au réfrigérateur jusqu'au montage de la pavlova, qui se fait à la dernière minute.

Placer une grille au centre du four. Préchauffer le four à 160 °C (325 °F). Tapisser une plaque de cuisson de papier sulfurisé (parchemin). Tracer dessus un cercle de 18 cm (7 po) pour obtenir une meringue de 20 cm (8 po) une fois cuite. Retourner le papier pour éviter que la mine du crayon s'imprime sur la meringue.

— **5** Pour la préparation de la meringue : Dans un bol, fouetter les blancs d'œufs jusqu'à ce qu'ils forment des pics mous. Ajouter graduellement le sucre, puis la fécule de maïs et enfin le vinaigre en fouettant jusqu'à ce que la préparation forme des pics fermes et que la meringue soit bien lisse et lustrée, 3 ou 4 minutes environ.

—**6** Déposer la meringue au centre du cercle tracé sur le papier. En utilisant ce cercle comme repère, étaler avec le dos d'une cuillère et former un nid. Avant la cuisson, les côtés extérieurs devraient mesurer 2,5 cm (1 po) et le centre du nid environ 1 cm (1/2 po) d'épaisseur. Cuire au four pendant 40 minutes ou jusqu'à ce que la meringue soit légèrement dorée et ne colle plus au papier sulfurisé (parchemin). Éteindre le four. Y laisser reposer la meringue toute la nuit, porte entrouverte.

— **7** Pour le montage de la pavlova : Juste avant de servir, garnir le nid de meringue de la crème d'agrumes froide. Recouvrir de la garniture aux canneberges froide. Décorer des zestes d'agrumes.

GÂTEAUX À LA VANILLE

farine tout usage 260 g
(2 tasses)

poudre à lever (poudre à pâte)
2 c. à thé

sel 1/2 c. à thé

beurre non salé 160 g (2/3 tasse),
à température ambiante

sucre 260 g (1 1/4 tasse)

œufs 2

extrait de vanille 1 1/2 c. à thé

lait 310 ml (1 1/4 tasse)

FRAISES MACÉRÉES À LA VANILLE

sucre 65 g (1/3 tasse)

gousse de vanille 1, fendue en
deux dans le sens de la longueur,
les graines seulement

fraises fraîches 750 ml
(3 tasses), coupées en tranches

jus de citron 2 c. à thé

CRÈME CHANTILLY

crème 35 % 500 ml (2 tasses)

• **sucre vanillé** (voir technique,
p. 15) ou sucre 2 c. à soupe

Minishortcakes aux fraises

PRÉPARATION 45 MINUTES — **CUISSON** 25 MINUTES — **ATTENTE** 1 HEURE 15 MINUTES — 8 PORTIONS

Placer une grille au centre du four. Préchauffer le four à 175 °C (350 °F). Beurrer et fariner 8 ramequins d'une capacité d'environ 250 ml (1 tasse). Secouer pour retirer l'excédent de farine.

— 1 Pour la préparation des gâteaux à la vanille : Dans un bol de grosseur moyenne, mélanger la farine, la poudre à lever et le sel. Réserver. Dans un grand bol, à l'aide d'un batteur électrique, battre le beurre et le sucre en crème jusqu'à ce que le mélange devienne léger, environ 5 minutes. Incorporer les œufs et la vanille en battant. À basse vitesse, incorporer le mélange d'ingrédients secs en alternant avec le lait.

— 2 Verser environ 160 ml (2/3 tasse) de pâte dans chaque ramequin et lisser le dessus. Déposer les ramequins sur une plaque à pâtisserie. Cuire au four de 25 à 30 minutes ou jusqu'à ce qu'un cure-dents inséré au centre des gâteaux en ressorte propre. Déposer les ramequins sur une grille et laisser tiédir 15 minutes. Démouler et laisser refroidir sur la grille 1 heure.

— 3 Pour la préparation des fraises macérées à la vanille : Dans un bol de grosseur moyenne, bien mélanger le sucre et les graines de vanille avec une fourchette. Ajouter les fraises et le jus de citron. Bien mélanger. Laisser macérer environ 20 minutes à température ambiante en remuant de temps à autre.

— 4 Pour la préparation de la crème chantilly : Dans un bol, fouetter la crème avec le sucre vanillé jusqu'à ce qu'elle forme des pics souples, de 3 à 5 minutes. Réserver au réfrigérateur.

— 5 Au moment de servir, couper les gâteaux en deux, à l'horizontale. Étaler une couche de fraises et une couche de crème chantilly entre les deux moitiés et replacer. Garnir le dessus d'une couche de fraises, puis de crème chantilly. Garnir de tranches de fraises.

— VARIANTE

Version cupcakes : Répartir la pâte à gâteau dans 18 à 20 moules à muffins de grandeur moyenne beurrés et farinés (60 ml/1/4 tasse par moule) et cuire environ 20 minutes.

GLAÇAGE AU FROMAGE À LA CRÈME

fromage à la crème 1 paquet
(250 g), à température ambiante

fraises fraîches 125 ml
(1/2 tasse), équeutées et finement
hachées

• **tartinade au citron** (*lemon curd*) du commerce ou maison
(voir recette, p. 172) 125 ml
(1/2 tasse)

CUPCAKES AU CITRON

farine tout usage 200 g
(1 1/2 tasse)

poudre à lever (poudre à pâte)
1 c. à thé

sel 1/2 c. à thé

beurre non salé 125 g (1/2 tasse),
à température ambiante

zeste de citron 1 c. à soupe

sucre 210 g (1 tasse)

œufs 2

extrait de vanille 1 c. à thé

lait 160 ml (2/3 tasse)

fraises fraîches 12 petites,
équeutées (garniture)

Cupcakes au citron et aux fraises

PRÉPARATION 25 MINUTES — **CUISSON** 25 MINUTES — 12 CUPCAKES

Placer une grille au centre du four. Préchauffer le four à 175 °C (350 °F). Tapisser 12 moules à muffins de coupelles en papier.

—**1** Pour la préparation du glaçage au fromage à la crème : Dans un bol de grosseur moyenne, à l'aide d'un batteur électrique, battre le fromage à la crème jusqu'à ce qu'il soit léger et crémeux. Incorporer graduellement la tartinade au citron et battre jusqu'à ce que le mélange soit lisse. Réfrigérer cette préparation et les fraises jusqu'au moment de les utiliser.

— **2** Pour la préparation des cupcakes au citron : Dans un bol de grosseur moyenne, mélanger la farine avec la poudre à lever et le sel.

— **3** Dans un grand bol, à l'aide d'un batteur électrique réglé à vitesse moyenne, battre le beurre avec le zeste de citron jusqu'à ce que le mélange soit crémeux. Ajouter graduellement le sucre en battant jusqu'à ce que le mélange soit homogène, en raclant la paroi du bol au besoin. Ajouter les œufs, un à la fois, puis la vanille en battant. Incorporer graduellement le tiers des ingrédients secs, puis la moitié du lait en battant. Répéter ces opérations en terminant avec les ingrédients secs et battre jusqu'à ce que la pâte soit homogène.

—**4** À l'aide d'une cuillère, répartir la pâte dans les moules à muffins – les remplir aux trois quarts. Cuire au four 25 minutes, ou jusqu'à ce qu'un cure-dents inséré au centre d'un cupcake en ressorte propre. Laisser refroidir.

—**5** À mi-chemin entre le centre et le bord d'un cupcake, insérer la lame d'un petit couteau à un angle de 45° sur 2,5 cm (1 po) de profondeur et y découper un petit cône (le réserver pour un autre usage). Répéter avec les autres cupcakes.

— **6** Incorporer les fraises hachées à la préparation au fromage. À l'aide d'une spatule à glacer ou d'une cuillère, remplir chaque cupcake de ce glaçage, puis glacer le dessus. Garnir chacun d'une petite fraise.

GLAÇAGE AUX FRAMBOISES

framboises surgelées 60 ml
(1/4 tasse)

fromage à la crème léger
1/2 paquet de 250 g, coupé en
cubes

sucre glace 60 g (1/2 tasse)

CUPCAKES AU CHOCOLAT
ET AUX BETTERAVES

farine tout usage 170 g
(1 1/4 tasse)

poudre de cacao 25 g (1/4 tasse)

poudre à lever (poudre à pâte)
3/4 c. à thé

bicarbonate de soude
1/4 c. à thé

sel 1/2 c. à thé

betteraves 1/2 boîte de 398 ml,
rincées, égouttées et épongées

sucre 150 g (3/4 tasse)

huile de carthame 60 ml
(1/4 tasse)

œuf 1

extrait de vanille 1 c. à thé

babeurre 125 ml (1/2 tasse)

Cupcakes au chocolat et aux betteraves, glaçage aux framboises

PRÉPARATION 25 MINUTES — **CUISSON** 20 MINUTES — 12 CUPCAKES

Préchauffer le four à 175 °C (350 °F). Tapisser 12 moules à muffins de coupelles en papier ou les vaporiser d'huile.

— 1 Mettre les framboises dans un tamis placé sur un bol et laisser décongeler.

— 2 Entre-temps, dans un grand bol, mélanger la farine avec le cacao, la poudre à lever, le bicarbonate de soude et le sel.

— 3 Au robot culinaire, réduire les betteraves en purée. Dans un bol de grosseur moyenne, à l'aide d'un batteur électrique, battre le sucre et l'huile 2 minutes. Ajouter l'œuf, puis la purée de betteraves et la vanille en battant. Incorporer graduellement le tiers des ingrédients secs, puis la moitié du babeurre. Répéter ces deux opérations en terminant par les ingrédients secs. Répartir la pâte dans les moules à muffins – les remplir aux trois quarts.

— 4 Cuire au centre du four de 20 à 25 minutes, ou jusqu'à ce qu'un cure-dents inséré au centre d'un cupcake en ressorte propre. Laisser refroidir 15 minutes sur une grille avant de démouler. Réserver sur la grille.

— 5 Presser les framboises dans le tamis avec le dos d'une louche pour obtenir une purée. Jeter les graines. Incorporer le fromage à la crème et le sucre glace à la purée. Étendre le glaçage aux framboises sur les cupcakes refroidis.

— **VARIANTE**

On peut remplacer le babeurre par du yogourt ou du lait sur : ajouter 1 c. à soupe de jus de citron ou de vinaigre à 250 ml (1 tasse) de lait et laisser épaissir quelques minutes.

SOUFFLÉS AU CHOCOLAT NOIR

sucre 5 c. à soupe

chocolat noir 70 % 2 paquets de 100 g ch., de bonne qualité, haché finement

crème 35 % 80 ml (1/3 tasse)

extrait de vanille 1 c. à thé

œufs 3, blancs et jaunes séparés

blancs d'œufs 3

sel de Maldon ou fleur de sel 1/4 c. à thé (facultatif)

● **crème fouettée à la noisette**
(voir recette, p. 169) (facultatif)

Soufflés au chocolat noir, crème fouettée à la noisette

PRÉPARATION 30 MINUTES — **CUISSON** 15 MINUTES — 6 PORTIONS

Préchauffer le four à 190 °C (375 °F). Beurrer 6 ramequins d'une capacité de 125 ml (1/2 tasse). Répartir 2 c. à soupe de sucre dans les ramequins et les incliner de façon à en couvrir l'intérieur uniformément. Secouer les ramequins pour enlever l'excédent de sucre. Les déposer sur une grande plaque.

— 1 Dans une casserole, verser environ 2,5 cm (1 po) d'eau. Sur feu moyen-doux, porter à légère ébullition. Dans un grand bol à l'épreuve de la chaleur, mettre le chocolat, la crème et la vanille, puis le déposer sur la casserole (le bol doit la couvrir complètement) pour former un bain-marie. Chauffer en remuant souvent jusqu'à ce que le chocolat soit fondu, de 3 à 4 minutes. Retirer le bol de la casserole et laisser refroidir légèrement.

— 2 Dans un autre bol, à l'aide d'un batteur électrique, battre les 6 blancs d'œufs à vitesse élevée jusqu'à ce qu'ils forment des pics mous, environ 2 minutes. Incorporer graduellement le reste du sucre et continuer de battre jusqu'à la formation de pics fermes, environ 2 minutes.

— 3 Dans un autre bol, battre les jaunes d'œufs avec le batteur électrique jusqu'à ce qu'ils soient pâles et qu'ils aient épaissi, environ 3 minutes. À l'aide d'une cuillère, incorporer 125 ml (1/2 tasse) du mélange de chocolat fondu. Incorporer le reste du mélange de chocolat en pliant la préparation. Incorporer le quart des blancs d'œufs. Ajouter le reste des blancs d'œufs et mélanger en pliant délicatement la préparation. Répartir le mélange dans les ramequins en les remplissant jusqu'au bord.

— 4 Cuire au centre du four jusqu'à ce que les soufflés soient gonflés et que le dessus soit ferme, de 10 à 12 minutes. Parsemer de sel, si désiré. Servir avec la crème fouettée à la noisette, si désiré.

— Tartes
et tartelettes

CROÛTE

farine tout usage 170 g
(1 1/4 tasse)

sel 1/4 c. à thé

beurre non salé 125 g (1/2 tasse),
à température ambiante

sucre 3 c. à soupe

jaune d'œuf 1

crème à fouetter 35 %
3 c. à soupe

GARNITURE AU MASCARPONE

fromage mascarpone
1 contenant (275 g)

crème 35 % 180 ml (3/4 tasse)

sucre 65 g (1/3 tasse)

zeste d'orange 1 c. à thé, râpé
finement + de fins rubans

extrait de vanille 1/2 c. à thé

fraises fraîches 750 ml
(3 tasses), entières ou tranchées

miel 1 c. à soupe (facultatif)

Tarte mascarpone et fraises

PRÉPARATION 30 MINUTES — **CUISSON** 20 MINUTES — **ATTENTE** 45 MINUTES — 8 PORTIONS

Placer une grille au centre du four. Préchauffer le four à 175 °C (350 °F).

— **1** Pour la préparation de la croûte : Dans un bol, mélanger la farine et le sel. Réserver. Dans un grand bol, à l'aide d'un batteur électrique, battre le beurre et le sucre. Incorporer le jaune d'œuf, puis le mélange de farine, en raclant le bol. Ajouter la crème en battant jusqu'à ce que la pâte commence à se tenir. Façonner la pâte en boule.

— **2** Mettre la boule de pâte au centre d'un moule à tarte rond à paroi cannelée de 23 cm (9 po) de diamètre à fond amovible et la presser uniformément dans le fond et sur la paroi. Réfrigérer jusqu'à ce que la pâte soit bien froide, environ 30 minutes. Piquer le fond de la croûte à plusieurs endroits avec une fourchette. Cuire au four jusqu'à ce que la croûte soit dorée, de 20 à 25 minutes. Mettre le moule sur une grille et laisser refroidir.

— **3** Pour la préparation de la garniture : Dans un bol, à l'aide d'un batteur électrique, battre le mascarpone, la crème, le sucre, le zeste d'orange et la vanille à vitesse moyenne jusqu'à ce que la préparation forme des pics fermes, environ 2 ou 3 minutes.

— **4** Étendre la garniture au mascarpone dans la croûte refroidie. Se conserve au réfrigérateur environ 2 jours. Juste avant de servir, garnir de fraises. Y verser le miel et décorer de rubans de zeste d'orange.

PLUS Comme la garniture à l'orange n'est pas très sucrée, la tarte supporte bien l'ajout de miel à la fin.

Tarte à la citrouille

PRÉPARATION 45 MINUTES — **CUISSON** 2 HEURES 5 MINUTES — **ATTENTE** 2 HEURES — 16 PORTIONS (2 TARTES)

— INGRÉDIENTS

citrouilles à tarte ou courges musquées 2 kg (4 1/2 lb), environ 2
œufs 6
crème 35 % 250 ml (1 tasse)
cassonade 130 g (2/3 tasse), légèrement tassée
sucre 130 g (2/3 tasse)
cannelle 2 c. à thé
muscade 1 c. à thé
gingembre moulu 1/2 c. à thé
piment de la Jamaïque 1/4 c. à thé
crème fouettée

• **pâte brisée au beurre** (voir recette, p. 168)

Placer une grille au centre du four. Préchauffer le four à 200 °C (400 °F).

—1 Couper chaque citrouille en quatre. Avec une cuillère, retirer les graines et les jeter ou les réserver pour un autre usage. Mettre les morceaux de citrouille dans un grand plat de cuisson, couvrir de papier d'aluminium et cuire au centre du four jusqu'à ce que la citrouille soit tendre, environ 1 heure. Retirer du four. Lorsque la citrouille est assez froide pour être manipulée, racler la chair de la peau et la réduire en purée très lisse au robot culinaire. Mesurer 875 ml (3 1/2 tasses) de purée. Réserver le reste pour un autre usage. Mettre la purée dans le récipient du robot culinaire et la mélanger avec les œufs, la crème 35 %, la cassonade, le sucre et les épices jusqu'à ce que la garniture soit homogène. Passer au tamis.

—2 Sur une surface légèrement farinée, abaisser un disque de pâte brisée au beurre en un cercle de 33 cm (13 po). Enrouler l'abaisse autour d'un rouleau à pâtisserie sans la serrer et la dérouler dans un moule à tarte de 23 ou 25 cm (9 ou 10 po). Presser la pâte dans le fond et sur la paroi du moule. Avec une fourchette, piquer l'abaisse sur toute sa surface. Couper le rebord de l'abaisse en laissant un excédent de 2,5 cm (1 po). Replier l'excédent sous l'abaisse et canneler le pourtour avec le pouce et l'index ou le presser avec les dents d'une fourchette. Procéder de la même manière avec l'autre disque de pâte dans un autre moule à tarte.

— 3 Tapisser chacune des abaisses de papier sulfurisé (parchemin) et les remplir de billes de cuisson en céramique ou de haricots secs pour empêcher les croûtes de gonfler pendant la cuisson. Cuire au four 10 minutes. Réduire la température du four à 175 °C (350 °F) et retirer les billes de cuisson et le papier sulfurisé. Remettre les croûtes au four et poursuivre la cuisson jusqu'à ce qu'elles soient légèrement dorées, environ 10 minutes. Répartir la garniture à la citrouille dans les croûtes chaudes. Cuire au four jusqu'à ce que la garniture soit encore un peu tremblotante au centre, de 45 à 55 minutes. Laisser refroidir complètement, environ 2 heures. Servir avec de la crème fouettée.

PLUS Pour gagner du temps, remplacer la purée de citrouille fraîche par 875 ml (3 1/2 tasses) de purée en conserve.

croûtes à tartelettes surgelées de 8 cm (3 po) de diamètre 6

fromage mascarpone 125 ml (1/2 tasse)

crème 35 % 3 c. à soupe

sucre 2 c. à thé

zeste d'orange 1 c. à thé

chocolat noir 2 c. à soupe, haché finement

quartiers de mandarine ou d'orange en pot ou en boîte 80 ml (1/3 tasse), environ 12, égouttés

copeaux de chocolat (facultatif)

Tartelettes au mascarpone et au chocolat

PRÉPARATION 10 MINUTES — **CUISSON** 10 MINUTES — 6 PORTIONS

—1 Cuire les croûtes à tartelettes selon les instructions sur l'emballage. Dans un bol de grosseur moyenne, mélanger le mascarpone avec la crème et le sucre. Ajouter le zeste d'orange et le chocolat haché, et mélanger. Répartir la garniture au fromage dans les croûtes refroidies. Disposer les quartiers de mandarine sur la garniture au fromage. Garnir de copeaux de chocolat, si désiré.

PLUS

Les mandarines vendues dans des contenants de plastique sont généralement plus goûteuses que celles en conserve.

CROÛTE
farine tout usage 170 g
(1 1/4 tasse)
sucre 2 c. à soupe
zeste de citron 1 c. à soupe
(environ 1 citron)
beurre non salé 125 g (1/2 tasse),
froid, coupé en dés
jaune d'œuf 1

GARNITURE AU CITRON
œufs 2
jaunes d'œufs 5
sucre 210 g (1 tasse)
crème à cuisson 35 %
80 ml (1/3 tasse)
jus de citron 160 ml (2/3 tasse)
(environ 3 citrons)

sucre glace

Tarte au citron classique

PRÉPARATION 20 MINUTES — **CUISSON** 55 MINUTES — **ATTENTE** 1 HEURE — 12 PORTIONS

Placer la grille dans le bas du four. Préchauffer le four à 175 °C (350 °F).

—**1** Pour la préparation de la croûte : Au robot culinaire, mélanger la farine, le sucre et le zeste de citron. Ajouter le beurre et le jaune d'œuf et mixer jusqu'à ce que la pâte commence à se tenir, environ 1 minute. Déposer la pâte au centre d'un moule à tarte à fond amovible de 23 cm (9 po) de diamètre et de 3 cm (1 1/8 po) de hauteur. En partant du centre, presser la pâte dans le fond du moule vers la paroi. Avec les doigts, faire monter la pâte sur la paroi à égalité avec la bordure du moule. Tapisser la croûte d'un grand morceau de papier sulfurisé (parchemin) et la remplir de billes de cuisson en céramique ou de haricots secs pour empêcher la croûte de gonfler pendant la cuisson. Déposer le moule à tarte sur une plaque et cuire au four 25 minutes. Retirer la croûte du four, enlever le papier sulfurisé et les billes de cuisson.

—**2** Pour la préparation de la garniture au citron : Dans un grand bol, fouetter les œufs et les jaunes d'œufs avec le sucre jusqu'à ce que la préparation soit homogène. Incorporer la crème, puis le jus de citron en fouettant. Verser la garniture au citron dans la croûte en la passant dans un chinois. Remettre la tarte sur la plaque et poursuivre la cuisson au four 30 minutes ou jusqu'à ce que la garniture commence à bouillonner sur le pourtour et que le centre semble lisse. La garniture doit trembloter un peu lorsqu'on secoue le moule légèrement. Retirer du four et laisser refroidir complètement sur une grille. Réfrigérer au moins 1 heure pour permettre à la garniture de prendre.

—**3** Pour démouler la tarte, placer le moule sur un bol renversé, faire glisser le contour du moule vers le bas et le retirer. Détacher la tarte du fond du moule avec une spatule mince et la déposer dans une assiette de service. Cette tarte se conserve jusqu'à 2 jours au réfrigérateur. Au moment de servir, saupoudrer de sucre glace.

PLUS Le citron Meyer, à la peau lisse et mince, est très juteux et parfumé. Plus sucré que le citron commun, il est idéal pour les granités, les tartes et les carrés au citron.

chapelure de biscuits Graham
375 ml (1 1/2 tasse)
beurre non salé 80 g (1/3 tasse),
fondu
fromage mascarpone 250 ml
(1 tasse)
crème 35 % 180 ml (3/4 tasse)
miel 3 c. à soupe
eau de fleur d'oranger
2 c. à soupe
extrait de vanille 1 c. à thé
pêches 2 grosses, mûres, pelées
et coupées en dés
sucre 1 c. à soupe
amandes effilées 60 ml
(1/4 tasse), grillées (voir
technique, p. 21)

Tartelettes au mascarpone et aux pêches

PRÉPARATION 30 MINUTES — **ATTENTE** 1 HEURE 15 MINUTES — 8 TARTELETTES

Tapisser 8 moules à muffins de coupelles en papier.

—1 Dans un bol de grosseur moyenne, mélanger la chapelure de biscuits Graham avec le beurre jusqu'à ce que le mélange soit humide. Déposer 3 c. à soupe de ce mélange dans chaque moule et presser fermement en allant du centre jusqu'en haut de la paroi du moule. Réfrigérer jusqu'à ce que les croûtes soient fermes.

— 2 Dans un grand bol, à l'aide d'un batteur électrique réglé à vitesse moyenne-élevée, battre le fromage mascarpone avec la crème, le miel, l'eau de fleur d'oranger et la vanille jusqu'à ce que le mélange soit léger et crémeux, environ 2 minutes. Retirer les croûtes du réfrigérateur et les remplir jusqu'au bord de la garniture au mascarpone. Lisser le dessus. Réfrigérer environ 1 heure.

— 3 Dans un petit bol, mélanger les pêches avec le sucre et laisser reposer jusqu'à ce qu'elles ramollissent, de 15 à 20 minutes. Égoutter le liquide, ajouter les amandes et remuer. Démouler les tartelettes dans des assiettes à dessert. Garnir chacune d'une cuillerée de garniture aux pêches.

PÂTE
beurre non salé 180 g
(3/4 tasse)
sucre glace 120 g (1 tasse)
+ 4 c. à thé
œufs 2
jaunes d'œufs 2
farine tout usage 390 g
(3 tasses)

GANACHE
lait 3,5 % 310 ml (1 1/4 tasse)
crème 35 % 160 ml (2/3 tasse)
chocolat noir Tanzanie 75 %
ou autre chocolat 300 g,
en morceaux
œuf 1

bleuets frais ou surgelés

Tarte au chocolat et aux bleuets

PRÉPARATION 30 MINUTES — **CUISSON** 40 MINUTES — **ATTENTE** 30 MINUTES — 10 À 12 PORTIONS

Préchauffer le four à 160 °C (325 °F).

—**1** Pour la préparation de la pâte : Dans un grand bol, défaire le beurre en crème au batteur électrique. Incorporer le sucre glace. Bien mélanger. Ajouter les œufs et les jaunes d'œufs. Mélanger.

— **2** Ajouter la farine et mélanger avec les mains jusqu'à ce que la pâte soit homogène. Diviser la pâte en deux ou trois boules et réfrigérer au moins 30 minutes. (La pâte se conserve jusqu'à une semaine au réfrigérateur. Elle peut aussi se congeler.)

—**3** Utiliser une des boules de pâte (environ 20 cm — 8 po de diamètre). Garder le reste de la pâte pour un autre usage. Sur une surface farinée, abaisser la pâte froide à environ 0,5 cm (1/4 po) d'épaisseur. La déposer dans un moule à tarte et tapisser le fond de papier d'aluminium. Cuire au four jusqu'à ce qu'elle commence à dorer, de 15 à 20 minutes. Laisser le four allumé.

— **4** Démouler et laisser refroidir l'abaisse.

— **5** Pour la préparation de la ganache : Dans une casserole, verser le lait et la crème. Porter à ébullition sur feu moyen. Dans un grand bol, déposer le chocolat et verser le lait chaud dessus. Fouetter pour bien mélanger. Incorporer l'œuf. Laisser tiédir.

— **6** Poser l'abaisse sur une plaque à pâtisserie. Y placer autant de bleuets que désiré. Verser l'appareil au chocolat par-dessus, presque jusqu'au bord.

—**7** Cuire au four environ 25 minutes ou jusqu'à ce que la préparation soit prise au centre. Servir tel quel ou avec une crème légèrement fouettée parfumée au zeste de citron.

— VARIANTES

• On peut remplacer les bleuets par des framboises ou des poires pochées.

• On peut parfumer la ganache : Faire infuser dans le lait chaud une gousse de vanille (coupée en deux et égrenée) ou une pincée d'aromates (piment, cardamome, thé, lavande), au goût.

Recette d'Édith Gagnon, de la chocolaterie Maison Cakao (Montréal).

**yogourt nature 6 % environ,
de type Balkan**, 750 ml (3 tasses)
pâte phyllo 4 feuilles, décongelée
beurre non salé 2 c. à soupe,
fondu
sucre 65 g (1/3 tasse)
limes 2, zeste seulement
mangues 6, mûres et fermes,
de préférence de variété Ataulfo

Tartelettes feuilletées
à la mangue et à la lime

PRÉPARATION 40 MINUTES — **CUISSON** 8 MINUTES — **ATTENTE** 1 HEURE — 12 TARTELETTES

Placer une grille au centre du four. Préchauffer le four à 190 °C (375 °F). Vaporiser légèrement un moule à 12 muffins (grosseur moyenne) en métal d'un enduit végétal.

— **1** Tapisser un tamis de deux épaisseurs d'étamine ou d'essuie-tout robuste et le déposer sur un bol. Y verser le yogourt, couvrir et laisser à température ambiante jusqu'à ce qu'une partie du liquide se soit égouttée et que le yogourt ait épaissi, environ 1 heure.

— **2** Entre-temps, étendre une feuille de pâte phyllo sur un plan de travail, la badigeonner légèrement de beurre et la saupoudrer de 1 1/2 c. à thé de sucre. Couvrir d'une deuxième feuille en alignant bien les côtés. Répéter ces opérations avec les autres feuilles. Couper en 12 carrés. Presser délicatement chaque carré de pâte dans les cavités du moule à muffins de manière à former des coupelles – laisser les côtés dépasser. Piquer le fond des coupelles avec une fourchette. Cuire au four de 8 à 10 minutes, jusqu'à ce qu'elles soient dorées et croustillantes. Laisser refroidir complètement sur une grille. Elles se conservent deux jours à température ambiante, dans un contenant hermétique.

— **3** Mettre le yogourt égoutté dans un bol. Jeter le liquide. Ajouter le zeste de lime et le reste du sucre et mélanger.

— **4** Peler les mangues. À l'aide d'une mandoline, les couper en tranches fines d'au plus 3 mm (1/8 po) d'épaisseur. Juste avant de servir, remplir chaque coupelle d'environ 2 c. à soupe de yogourt. En les travaillant une à la fois, enrouler délicatement les tranches de mangue en rosette et les faire tenir dans le yogourt.

PLUS

La mangue jaune Ataulfo, du Mexique, est sucrée et juteuse. Elle est plutôt petite : si on utilise une autre variété pour cette recette, en prendre seulement quatre.

pâte feuilletée surgelée
1/2 paquet de 397 g, décongelée
farine tout usage
sucre 130 g (2/3 tasse)
fécule de maïs 3 c. à soupe
rhubarbe fraîche ou surgelée
750 ml (3 tasses), coupée
finement
fraises 500 ml (2 tasses),
équeutées et coupées en quatre
œuf 1
sucre
confiture d'abricots ou
de framboises sans graines
1 c. à soupe (facultatif)
crème glacée à la vanille
ou yogourt glacé (facultatif)

Petites tartes à la rhubarbe et aux fraises

PRÉPARATION 30 MINUTES — **CUISSON** 35 MINUTES — 3 TARTES (6 PORTIONS)

Placer une grille dans la partie inférieure du four. Préchauffer le four à 245 °C (475 °F). Tapisser deux plaques à pâtisserie de papier d'aluminium ou de papier sulfurisé (parchemin).

— 1 Couper la pâte en trois morceaux égaux. Fariner le plan de travail et le rouleau à pâtisserie. Abaisser les morceaux de pâte en trois cercles de 18,5 cm (7 1/2 po) de diamètre. Retourner la pâte plusieurs fois en l'abaissant. Si elle colle au plan de travail, ajouter de la farine. Déposer un des cercles de pâte sur une plaque et les deux autres sur l'autre plaque.

— 2 Dans un grand bol, mélanger le sucre et la fécule de maïs. Si on utilise de la rhubarbe surgelée, ajouter 1 c. à soupe de fécule de maïs (soit 4 c. à soupe au total). Incorporer la rhubarbe et les fraises.

— 3 Déposer environ 330 ml (1 1/3 tasse) de la préparation aux fruits au centre de chacun des cercles de pâte, en laissant une bordure de pâte de 3,5 cm (1 1/2 po) tout le tour. Replier cette bordure sur les fruits de façon à les retenir, mais sans les couvrir complètement.

— 4 Dans un petit bol, fouetter l'œuf avec 1 c. à soupe d'eau. En badigeonner le pourtour des tartes, puis saupoudrer de sucre.

— 5 Déposer les plaques dans le four et réduire la température à 190 °C (375 °F). Cuire 20 minutes. Placer des rondelles de papier d'aluminium sur la garniture aux fruits pour empêcher qu'elle s'assèche. Poursuivre la cuisson jusqu'à ce que la pâte soit dorée, environ 15 minutes. Retirer du four. Enlever le papier d'aluminium.

— 6 Pour glacer la garniture aux fruits des tartes, retirer les morceaux d'abricot de la confiture. Faire fondre ce qui reste au micro-ondes environ 15 secondes et en badigeonner la garniture. Laisser reposer 5 minutes. Ces tartes se conservent 1 journée à température ambiante. Couper chaque tarte en deux. Servir chaud, accompagné de crème glacée à la vanille ou de yogourt glacé, si désiré.

PLUS Si on utilise de la rhubarbe surgelée, la déposer dans un tamis et faire fondre les cristaux de glace sous l'eau froide. Égoutter et assécher.

jaunes d'œufs 3
œuf 1
lait 2 % 250 ml (1 tasse)
crème 35 % 180 ml (3/4 tasse)
sucre 100 g (1/2 tasse)
fécule de maïs 2 c. à soupe
extrait de vanille 2 c. à thé
pâte feuilletée surgelée
1/2 paquet de 397 g, décongelée
cannelle 3/4 c. à thé

Tartelettes portugaises à la crème

PRÉPARATION 40 MINUTES — **CUISSON** 20 MINUTES — **ATTENTE** 1 HEURE — 12 TARTELETTES

— **1** Dans une grande casserole, sur feu moyen, fouetter les jaunes d'œufs et l'œuf avec le lait, la crème, le sucre et la fécule de maïs. Cuire en fouettant jusqu'à ce que la préparation épaississe, de 7 à 10 minutes. Ajouter la vanille en fouettant. Verser cette crème pâtissière dans un bol de grosseur moyenne et couvrir directement sa surface d'une pellicule de plastique pour empêcher la formation d'une peau. Faire refroidir au congélateur jusqu'à ce qu'elle soit très froide, mais non congelée, environ 1 heure.

— **2** Sur un plan de travail, dérouler la pâte feuilletée et saupoudrer uniformément toute sa surface de cannelle. Rouler la pâte en un boudin serré et le couper en 12 rondelles égales. Sur une surface légèrement farinée, à l'aide d'un rouleau à pâtisserie, abaisser une rondelle de pâte en un cercle de 10 cm (4 po) de diamètre – la pâte sera très mince. Répéter avec le reste des rondelles de pâte. Presser chaque abaisse dans le fond et sur la paroi de 12 moules à muffins. Réserver les croûtes au réfrigérateur jusqu'à ce que la crème pâtissière soit froide.

Placer une grille au centre du four. Préchauffer le four à 260 °C (500 °F).

— **3** Répartir la crème pâtissière froide dans les croûtes. Cuire jusqu'à ce que le dessus des tartelettes soit doré (mais non bruni), de 13 à 15 minutes. Si les tartelettes ne sont pas dorées, poursuivre la cuisson en vérifiant toutes les 2 minutes. Laisser refroidir les tartelettes sur une grille 5 minutes, puis les démouler et les laisser refroidir légèrement sur la grille. Servir les tartelettes chaudes ou froides.

— Poudings, croustades et crèmes

bleuets frais ou surgelés 875 ml
(3 1/2 tasses)

sucre 65 g (1/3 tasse)

zeste de citron 2 c. à thé, râpé

jus de citron 2 c. à soupe

pain blanc à sandwichs
6 tranches, les croûtes enlevées

yogourt grec au miel 125 ml
(1/2 tasse)

petits fruits frais (garniture)
(facultatif)

Pouding au pain et aux bleuets

PRÉPARATION 15 MINUTES — **CUISSON** 10 MINUTES — **ATTENTE** 40 MINUTES — 6 PORTIONS

Tapisser un bol de 750 ml (3 tasses) de pellicule de plastique en la laissant dépasser par-dessus.

—**1** Dans une casserole de grandeur moyenne, sur feu moyen-vif, mélanger les bleuets avec le sucre, le zeste et le jus de citron. Amener à ébullition et cuire jusqu'à ce que les bleuets commencent à rendre leur jus sans perdre leur forme, environ 3 minutes (compter environ 2 minutes de plus si les bleuets sont surgelés). Égoutter la préparation de bleuets en réservant le jus.

— **2** Aplatir les tranches de pain avec un rouleau à pâtisserie et tremper chacune dans le jus de bleuets réservé. Couvrir l'intérieur du bol de 5 tranches de pain en les faisant se chevaucher légèrement. Presser les bordures des tranches ensemble de façon qu'il ne reste aucun espace. Verser la préparation de bleuets dans le bol, la couvrir de la tranche de pain qui reste et presser fermement. Couvrir en rabattant l'excédent de pellicule de plastique sur le dessus et presser. Déposer une petite assiette sur le dessus du pouding et y placer une grosse boîte de conserve en guise de poids. Réfrigérer jusqu'à ce que le pouding soit ferme, au moins 40 minutes. Se conserve 1 jour au réfrigérateur. Retirer la boîte de conserve et l'assiette. Retourner le pouding dans une assiette de service et le démouler. Décorer de petits fruits frais, si désiré. Couper en tranches et servir avec le yogourt au miel.

Croustade aux pommes

GARNITURE

flocons d'avoine 250 ml (1 tasse)

farine tout usage non blanchie 45 g (1/3 tasse)

cassonade 50 g (1/4 tasse), légèrement tassée

amandes effilées 60 ml (1/4 tasse) (facultatif)

beurre salé 80 g (1/3 tasse), ramolli

MÉLANGE AUX POMMES

jus de citron 2 c. à soupe

pommes Empire 6 grosses, pelées, épépinées et coupées en quartiers épais (environ 2,5 cm/1 po)

cassonade 70 g (1/3 tasse), légèrement tassée

cannelle moulue 1 pincée

muscade moulue 1 pincée

crème glacée à la vanille ou yogourt glacé (facultatif)

PRÉPARATION 25 MINUTES — **CUISSON** 50 MINUTES — 6 À 8 PORTIONS

Placer une grille dans la partie inférieure du four. Préchauffer le four à 190 °C (375 °F).

— **1** Pour la préparation de la garniture : Dans un bol, mélanger les flocons d'avoine, la farine, la cassonade et les amandes, si désiré. Ajouter le beurre et mélanger avec les doigts jusqu'à ce que la préparation soit homogène et forme des petits grumeaux. Réserver.

— **2** Pour la préparation du mélande aux pommes : Dans un grand bol, verser le jus de citron. Ajouter les pommes. Bien mélanger. Ajouter la cassonade, la cannelle et la muscade. Bien mélanger. Répartir dans un moule carré de 20 cm (8 po) et presser avec les mains.

— **3** Couvrir le mélange aux pommes de la garniture aux flocons d'avoine.

— **4** Cuire au four environ 50 minutes, ou jusqu'à ce que la croustade soit bien dorée. Servir tiède ou à température ambiante avec une boule de crème glacée à la vanille ou du yogourt glacé, si désiré.

PLUS Les amandes rendent la garniture plus croustillante. On peut remplacer les amandes par des noix, dans la même proportion.

— INGRÉDIENTS

lait 3,25 % ou crème 10 %
500 ml (2 tasses)
sucre 100 g (1/2 tasse)
poudre de cacao 25 g
(1/4 tasse)
fécule de maïs 3 c. à soupe
sel 1 pincée
chocolat mi-sucré 85 g (3 oz),
haché finement
extrait de vanille 2 c. à thé
crème fouettée (facultatif)

Pouding au chocolat velouté

PRÉPARATION 10 MINUTES — **CUISSON** 5 MINUTES — **ATTENTE** 2 HEURES (FACULTATIF) — 750 ML (3 TASSES)

— 1 Verser 1 1/2 t (375 ml) de lait dans une casserole et porter presque au point d'ébullition sur feu moyen. Entre-temps, dans un bol, mélanger au fouet le sucre, le cacao, la fécule de maïs et le sel. Y incorporer le reste du lait en fouettant jusqu'à ce qu'il ne reste plus de grumeaux.

— 2 Lorsque le lait commence à bouillir, y incorporer graduellement le mélange de cacao en fouettant. Remuer sans arrêt avec une cuillère en bois jusqu'à ce que la préparation épaississe et commence à peine à bouillir, 3 ou 4 minutes – réduire le feu si la préparation tend à coller au fond. Une fois la préparation épaissie, retirer la casserole du feu. Incorporer le chocolat mi-sucré, puis la vanille et poursuivre la cuisson en remuant jusqu'à ce que le chocolat soit complètement fondu et que la préparation soit lisse, environ 1 minute.

— 3 Servir le pouding chaud ou le verser dans un grand bol ou dans des ramequins individuels, couvrir directement sa surface de pellicule de plastique et réfrigérer environ 2 heures – le pouding épaissira en refroidissant. On peut préparer le pouding 3 jours à l'avance, le couvrir et le conserver au réfrigérateur. Au moment de servir, garnir d'une cuillerée de crème fouettée, si désiré.

PLUS

Pour donner une touche exquise à ce pouding, ajouter 1 c. à soupe de Frangelico, de Baileys ou de Grand Marnier en même temps que l'extrait de vanille.

fromage mascarpone 475 g
crème à fouetter 35 % 250 ml
(1 tasse)
sucre 3 c. à soupe
liqueur de café ou café expresso,
2 c. à soupe
poudre de cacao 1 c. à soupe
biscuits à la cuillère 8

Tiramisu express

PRÉPARATION 10 MINUTES — 8 PORTIONS

— 1 Dans un grand bol, à l'aide d'un batteur électrique, fouetter le mascarpone environ 1 minute. Y ajouter la crème, le sucre et la liqueur de café et battre jusqu'à ce que le mélange épaississe, sans plus, environ 1 minute. Répartir la préparation dans 8 ramequins ou coupes à dessert (environ 80 ml – 1/3 tasse – par portion). On peut préparer ce dessert la veille et le réfrigérer. Tamiser la poudre de cacao sur le dessus et servir accompagné de biscuits à la cuillère.

dattes dénoyautées 1/2 paquet de 375 g, environ 310 ml (1 1/4 tasse), hachées grossièrement
bicarbonate de soude 2 c. à thé
farine tout usage 130 g (1 tasse)
poudre à lever (poudre à pâte) 1 1/2 c. à thé
gingembre moulu 1/4 c. à thé
beurre non salé 3 c. à soupe, à température ambiante
sucre 130 g (2/3 tasse)
œufs 2

SAUCE AU CARAMEL
beurre non salé 125 g (1/2 tasse), à température ambiante
cassonade 200 g (1 tasse), légèrement tassée
crème 35 % 125 ml (1/2 tasse)
crème irlandaise au caramel ou crème irlandaise ordinaire Baileys 60 ml (1/4 tasse)

Petits poudings aux dattes et sauce au caramel

PRÉPARATION 20 MINUTES — **CUISSON** 45 MINUTES — **ATTENTE** 30 MINUTES — 12 PETITS POUDINGS

Placer une grille au centre du four. Préchauffer le four à 175 °C (350 °F). Beurrer légèrement 12 moules à muffins.

—**1** Mettre les dattes dans une casserole de grosseur moyenne et ajouter 180 ml (3/4 tasse) d'eau. Couvrir et amener à ébullition sur feu moyen-vif, en remuant de temps à autre. Retirer le couvercle et laisser mijoter 3 minutes, en remuant souvent. Retirer du feu et incorporer le bicarbonate de soude. Laisser reposer 20 minutes.

—**2** Entre-temps, placer à portée de main un plat de cuisson assez grand pour contenir les moules à muffins. Faire bouillir de l'eau dans une bouilloire et réserver.

—**3** Dans un bol de grosseur moyenne, mélanger à la fourchette la farine, la poudre à lever et le gingembre. Dans un autre bol de grosseur moyenne, à l'aide d'un batteur électrique réglé à vitesse moyenne, battre le beurre avec le sucre. Ajouter les œufs, un à la fois, en battant bien après chaque ajout et en raclant la paroi du bol au besoin. Incorporer graduel-lement les ingrédients secs, puis le mélange de dattes et battre jusqu'à ce que la pâte soit homogène. À l'aide d'une cuillère, répartir la pâte dans les moules à muffins. Déposer les moules à muffins dans le plat de cuisson et le mettre au four. Verser assez d'eau bouillante dans le plat pour atteindre la mi-hauteur des moules. Cuire au four pendant 20 minutes. Réduire la température du four à 160 °C (325 °F) et poursuivre la cuisson environ 20 minutes, ou jusqu'à ce qu'un cure-dents inséré au centre d'un pouding en ressorte presque propre. Retirer les moules à muffins du bain-marie et laisser refroidir sur une grille pendant 10 minutes. Passer un couteau autour des poudings pour les détacher des moules, les retourner et les démouler délicatement.

—**4** Pour la préparation de la sauce au caramel : Entre-temps, dans une petite casserole, faire fondre le beurre sur feu moyen. Ajouter la cassonade et remuer jusqu'à ce qu'elle soit dissoute. Ajouter la crème et la crème irlandaise. Augmenter le feu à moyen-vif et laisser bouillir doucement à découvert, en remuant de temps à autre, jusqu'à ce que la sauce épaississe légèrement, environ 3 minutes.

—**5** Servir les poudings chauds avec la sauce au caramel chaude. On peut préparer les petits poudings à l'avance, les envelopper et les conserver quelques jours au réfrigérateur ou 2 semaines au congélateur. Pour les réchauffer, les décongeler, le cas échéant, et en déposer quelques-uns dans une assiette allant au micro-ondes, les couvrir de papier ciré en faisant une tente et réchauffer à intensité moyenne jusqu'à ce que le centre des poudings soit chaud, environ 1 minute. Répéter avec le reste des poudings. La sauce, couverte, se conserve 2 jours au réfrigérateur. Réchauffer au micro-ondes 1 minute à intensité maximale avant de servir.

CROÛTE

farine tout usage (325 g)
 2 1/2 tasses

sucre 3 c. à soupe

sel 1/2 c. à thé

beurre non salé 250 g (1 tasse),
froid, en cubes

eau glacée 3 c. à soupe

jus de citron 2 c. à soupe
(environ 1/2 citron)

crème 35 % 1 c. à soupe pour
badigeonner

GARNITURE AUX PRUNES

cassonade 150 g (3/4 tasse),
tassée

fécule de maïs 3 c. à soupe

sel 1/8 c. à thé

grosses prunes 12, tranchées
(environ 4 1/2 lb – 1,7 kg)

gingembre frais 1 c. à soupe,
râpé

beurre non salé 1 c. à soupe,
froid, en dés

crème glacée à la vanille
(facultatif)

Petits poudings aux prunes et au gingembre

PRÉPARATION 30 MINUTES — **ATTENTE** 30 MINUTES (PÂTE) — **CUISSON** 35 MINUTES — 8 PORTIONS

— **1** Pour la préparation de la croûte : Au robot culinaire, mélanger la farine avec 2 c. à soupe de sucre et le sel. Ajouter le beurre et actionner l'appareil par touches successives jusqu'à ce que la préparation ait la consistance d'une chapelure. Ajouter l'eau et le jus de citron pendant que l'appareil est en marche et mélanger jusqu'à ce que la pâte commence à se tenir – elle ne doit pas être collante. Diviser la pâte en 8 portions et façonner chacune en un disque. Envelopper chacun d'une pellicule de plastique et réfrigérer jusqu'à ce que la pâte soit froide, au moins 30 minutes ou jusqu'au lendemain.

Placer une grille dans le tiers inférieur du four. Préchauffer le four à 220 °C (425 °F).
— **2** Pour la préparation de la garniture aux prunes : Dans un grand bol, mélanger la cassonade avec la fécule de maïs et le sel. Ajouter les prunes et le gingembre, et remuer pour enrober uniformément. Répartir la garniture aux prunes dans 8 ramequins ou petits plats à cuisson. Ajouter quelques dés de beurre dans chacun et déposer les ramequins sur une plaque.
— **3** Sur une surface légèrement farinée, à l'aide d'un rouleau à pâtisserie, abaisser un disque de pâte en un cercle juste assez grand pour recouvrir le dessus d'un ramequin. Enrouler l'abaisse autour du rouleau sans la serrer, la dérouler sur le ramequin et couper l'excédent au besoin – l'abaisse doit être égale au rebord du ramequin sans excédent qui pend. Pratiquer 4 petites incisions dans la croûte. Répéter avec les autres disques de pâte. Badigeonner légèrement les croûtes de crème, sans les détremper. Saupoudrer avec le reste du sucre (1 c. à soupe). Cuire les petits poudings de 35 à 45 minutes, ou jusqu'à ce que la croûte soit dorée et que les prunes soient tendres. Servir avec de la crème glacée à la vanille, si désiré.

— **VARIANTE**

Pour gagner du temps, on peut préparer un grand pouding dans un plat de cuisson de 23 cm x 33 cm (9 po x 13 po) plutôt que dans des ramequins. Pas besoin alors de diviser la pâte, il suffit de la façonner en un grand rectangle et de la réfrigérer au moins 1 1/2 heure ou jusqu'au lendemain avant de l'abaisser en un rectangle de 23 cm x 33 cm (9 po x 13 po). Cuire au four environ 55 minutes.

PÂTE

farine tout usage 350 g
(2 3/4 tasses)
cheddar fort 180 ml (3/4 tasse),
râpé
sel 1/2 c. à thé
beurre non salé 330 g
(1 1/3 tasse), froid, en cubes
crème sure 180 ml (3/4 tasse)
œuf 1, blanc et jaune séparés

POMMES FARCIES

pommes Gala 8 petites, fermes
et croquantes
jus de citron 2 c. à soupe
cassonade 75 g (1/3 tasse)
+ 2 c. à soupe, tassée
pacanes 80 ml (1/3 tasse),
hachées finement
cannelle 2 c. à thé

SAUCE AU CARAMEL

beurre non salé 80 g (1/3 tasse)
cassonade 130 g (3/4 tasse),
tassée
extrait de vanille 1 1/2 c. à thé
sel 1/2 c. à thé
crème 35 % 180 ml (3/4 tasse)

Pommes en croûte, sauce au caramel

PRÉPARATION 45 MINUTES — **ATTENTE** 1 HEURE (PÂTE) — **CUISSON** 35 MINUTES — 8 PORTIONS

— **1** Pour la préparation de la pâte : Au robot culinaire, mélanger la farine avec le cheddar, le sel et le beurre jusqu'à ce que la préparation ait la consistance d'une chapelure grossière. Ajouter la crème sure et le jaune d'œuf et actionner l'appareil jusqu'à ce que la pâte commence à se tenir. Sur une surface légèrement farinée, façonner la pâte en boule. Diviser la pâte en 8 portions égales et façonner chacune en un disque. Envelopper chacun d'une pellicule de plastique et réfrigérer jusqu'à ce que la pâte soit froide, au moins 1 heure ou jusqu'à 3 jours (la pâte se conserve 1 mois au congélateur).

Placer une grille au centre du four. Préchauffer le four à 220 °C (425 °F). Tapisser une plaque de papier sulfurisé (parchemin).

— **2** Pour la préparation des pommes farcies : Couper une tranche d'environ 1 cm (1/2 po) d'épaisseur sur le dessus des pommes et enlever une mince tranche dessous pour qu'elles se tiennent bien. Peler les pommes, retirer le cœur avec un vide-pomme ou un petit couteau et le jeter. Badigeonner les pommes de jus de citron. Dans un petit bol, mélanger 75 g (1/3 tasse) de cassonade avec les pacanes et la cannelle.

— **3** Retirer la pâte du réfrigérateur. Sur une surface légèrement farinée, abaisser chaque disque de pâte en un cercle d'environ 23 cm (9 po) de diamètre. Placer une pomme au centre d'un disque et farcir le cœur avec le mélange de pacanes. Badigeonner la bordure de la pâte avec le blanc d'œuf. Soulever la pâte et la ramasser sur le dessus de la pomme, puis la replier et la presser pour bien envelopper la pomme et sceller la pâte. Répéter avec le reste des disques de pâte, des pommes et du mélange de pacanes.

— **4** Déposer les pommes en croûte sur la plaque, en les espaçant d'environ 2,5 cm (1 po), les badigeonner de blanc d'œuf et les saupoudrer avec le reste de la cassonade (2 c. à soupe). Vaporiser un côté d'une feuille de papier d'aluminium d'un enduit végétal et la déposer sur les pommes en croûte. Cuire jusqu'à ce que la croûte soit dorée, environ 35 minutes. Retirer le papier d'aluminium pendant les 5 dernières minutes de cuisson.

— **5** Pour la préparation de la sauce au caramel : Dans une petite casserole, faire fondre le beurre sur feu moyen. Ajouter la cassonade et porter à faible ébullition, en fouettant de temps à autre. Cuire 3 minutes. Ajouter la vanille et le sel, et remuer jusqu'à ce qu'il soit dissous. Retirer du feu et laisser reposer 1 minute. Incorporer la crème en fouettant jusqu'à ce que la sauce soit lisse. Mettre les pommes en croûte dans des assiettes individuelles et les arroser de sauce au caramel.

POUDING AUX PETITS FRUITS

farine tout usage 200 g
(1 1/2 tasse)
poudre à lever (poudre à pâte)
2 c. à thé
sel 1/2 c. à thé
beurre non salé 2 c. à soupe,
à température ambiante
sucre 100 g (1/2 tasse)
extrait de vanille 2 c. à thé
lait 180 ml (3/4 tasse)
framboises fraîches 1 barquette
(170 g)
canneberges fraîches ou
surgelées, décongelées 250 ml
(1 tasse)

SAUCE AU BEURRE ET AU WHISKY

beurre non salé 60 g (1/4 tasse)
sucre 100 g (1/2 tasse)
crème 35 % 60 ml (1/4 tasse)
whisky canadien 2 c. à soupe

crème 35 % 125 ml (1/2 tasse),
fouettée (facultatif)

Pouding aux petits fruits à l'ancienne

PRÉPARATION 20 MINUTES — **CUISSON** 35 MINUTES — 8 PORTIONS

Placer une grille au centre du four. Préchauffer le four à 200 °C (400 °F). Vaporiser légèrement d'huile un moule carré de 23 cm (9 po).

— 1 Pour la préparation du pouding aux petits fruits : Dans un bol de grosseur moyenne, mélanger la farine avec la poudre à lever et le sel. Dans un grand bol, à l'aide d'une cuillère en bois, battre le beurre avec le sucre et la vanille. Incorporer le tiers des ingrédients secs, puis la moitié du lait. Répéter ces deux opérations, en terminant par les ingrédients secs, en raclant la paroi du bol, jusqu'à ce que la pâte soit homogène. Incorporer délicatement les framboises et les canneberges.

— 2 Étendre la pâte dans le moule et lisser le dessus. Cuire au four jusqu'à ce que le pouding soit légèrement doré, environ 30 minutes. Piquer le pouding à quelques reprises avec une fourchette. Réserver.

— 3 Pour la préparation de la sauce au beurre et au whisky : Dans une petite casserole, sur feu moyen-vif, mélanger le beurre avec le sucre, la crème et le whisky. Amener à ébullition, puis réduire le feu à moyen-doux. Laisser mijoter en remuant de temps à autre jusqu'à ce que la sauce soit lisse, environ 5 minutes. Verser la sauce sur le pouding chaud. Laisser reposer 10 minutes. Servir le pouding chaud garni de crème fouettée, si désiré.

œufs 3
sucre 100 g (1/2 tasse)
beurre 2 c. à soupe, fondu
farine tout usage 100 g
(3/4 tasse)
lait 375 ml (1 1/2 tasse)
extrait de vanille 2 c. à thé
sel 1 pincée
bleuets frais 750 ml (3 tasses)
sucre glace (facultatif)

Clafoutis aux bleuets

PRÉPARATION 15 MINUTES — **CUISSON** 45 MINUTES — 6 PORTIONS

Préchauffer le four à 190 °C (375 °F). Beurrer et saupoudrer de sucre un moule à tarte en verre ou un moule à quiche.

— **1** Dans un grand bol, à l'aide d'un batteur électrique, ou au robot culinaire, battre les œufs. Incorporer, un ingrédient à la fois, le sucre, le beurre fondu, la farine, le lait, la vanille et le sel. Mélanger jusqu'à ce que la préparation soit lisse.

— **2** Déposer la moitié des bleuets au fond du moule. Étaler la préparation sur les fruits. Incorporer le reste des bleuets sur le dessus de la préparation.

— **3** Cuire au four de 45 à 55 minutes, ou jusqu'à ce que la pâte soit gonflée, bien prise et dorée. Laisser refroidir 10 minutes. Saupoudrer de sucre glace, si désiré. Servir tiède ou froid.

— **VARIANTES**

• Avec une touche d'orange : Remplacer 60 ml (1/4 tasse) du lait par la même quantité de Grand Marnier.

• En portions individuelles : Beurrer et saupoudrer de sucre 6 ramequins de 10 cm (4 po) de diamètre. Y répartir les bleuets et le mélange, et cuire au four 30 minutes.

CARAMEL
sucre 150 g (3/4 tasse)
eau 60 ml (1/4 tasse)

CRÈME À LA VANILLE
crème 35 % 250 ml (1 tasse)
lait 3,25 % 250 ml (1 tasse)
œufs 3
jaunes d'œufs 3
sucre 100 g (1/2 tasse)
extrait de vanille 1 c. à thé
sel 1/8 c. à thé

Crèmes caramel à la vanille

PRÉPARATION 20 MINUTES — **ATTENTE** 2 HEURES — **CUISSON** 1 HEURE — 6 PORTIONS

Placer une grille au centre du four. Préchauffer le four à 160 °C (325 °F). Amener environ 2 litres (8 tasses) d'eau à ébullition dans une bouilloire. Étendre un linge à vaisselle, en le pliant au besoin, dans le fond d'un grand plat de cuisson.

— 1 Pour la préparation du caramel : Dans une casserole de grosseur moyenne, sur feu moyen-vif, amener le sucre et l'eau à ébullition, en faisant tourner la casserole de temps à autre, jusqu'à ce que le sirop soit ambre foncé, environ 9 ou 10 minutes. Retirer aussitôt la casserole du feu pour éviter que le sirop dore trop. Répartir le sirop dans 6 ramequins de 180 ml (3/4 tasse) non graissés, en les faisant tourner pour bien en couvrir le fond. Déposer les ramequins dans le plat de cuisson.

— 2 Pour la préparation de la crème à la vanille : Dans une casserole de grosseur moyenne, sur feu moyen, chauffer la crème et le lait jusqu'à ce que des petites bulles se forment sur la paroi, 3 ou 4 minutes. Dans un grand bol, fouetter les œufs et les jaunes d'œufs avec le sucre, la vanille et le sel. Incorporer graduellement le mélange de lait chaud en fouettant jusqu'à ce que la préparation soit homogène sans être mousseuse. Filtrer la préparation dans une passoire fine placée sur une grande tasse à mesurer. Répartir la crème à la vanille dans les ramequins et mettre au four. Verser de l'eau bouillante dans le plat de cuisson jusqu'à mi-hauteur des ramequins. Couvrir de papier d'aluminium sans serrer.

— 3 Cuire au four de 40 à 45 minutes, ou jusqu'à ce que les crèmes soient fermes mais encore légèrement gélatineuses (retirer le papier d'aluminium et laisser la vapeur s'échapper avant de remuer les crèmes pour vérifier si elles sont gélatineuses). Laisser refroidir les crèmes caramel sur une grille 15 minutes. Réfrigérer au moins 2 heures, ou jusqu'à ce qu'elles soient bien froides.

— 4 Remplir un petit bol d'eau très chaude. Tremper la base d'un ramequin dans l'eau environ 10 secondes, puis passer un couteau autour de la crème pour la détacher du ramequin. Placer une assiette sur le ramequin et le retourner. Secouer délicatement le ramequin pour démouler. Répéter avec le reste des crèmes.

— VARIANTE

On peut préparer la crème caramel dans un moule à gâteau rond à paroi droite de 20 cm (8 po) de diamètre plutôt que dans des ramequins. Il faudra alors la cuire 1 heure 10 minutes.

— Fruits et desserts glacés

poires 4, mûres mais encore fermes
gousse de vanille 1 petite
cassonade 75 g (1/3 tasse), tassée
beurre non salé 60 g (1/4 tasse)
jus de citron 60 ml (1/4 tasse)
crème fouettée (facultatif)

Poires à la vanille

PRÉPARATION 10 MINUTES — **CUISSON** 40 MINUTES — 8 PORTIONS

Placer une grille au centre du four. Préchauffer le four à 190 °C (375 °F). Vaporiser légèrement d'un enduit végétal un moule carré de 20 cm (8 po).

— 1 Peler les poires et les couper en deux sur la longueur. À l'aide d'une petite cuillère, retirer le cœur. Mettre les poires, côté coupé dessus, dans le moule, en les disposant côte à côte.

— 2 Ouvrir la gousse de vanille en deux sur la longueur. Gratter les graines avec le dos d'un petit couteau dans un petit bol allant au micro-ondes. Ajouter la cassonade et le beurre et mélanger. Chauffer au micro-ondes 30 secondes, ou jusqu'à ce que le beurre soit fondu. Ajouter le jus de citron et remuer. Badigeonner généreusement les poires de ce mélange et verser le reste dans le moule.

— 3 Cuire au four jusqu'à ce que les poires soient tendres, environ 40 minutes. Servir avec de la crème fouettée, si désiré.

PLUS
Les meilleures poires pour la cuisson ?
Bosc, Bartlett, Abatti.

vin blanc fruité (gewurztraminer
ou riesling) 1 bouteille (750 ml)
gélatine en poudre sans saveur
2 sachets de 28 g ch.
sucre 2 c. à soupe
jus de raisin blanc 500 ml
(2 tasses)
fraises fraîches 250 ml (1 tasse),
équeutées et coupées en tranches
bleuets frais 250 ml (1 tasse)
framboises fraîches 250 ml
(1 tasse)

Gelée aux petits fruits

PRÉPARATION 7 MINUTES — **CUISSON** 3 MINUTES — **ATTENTE** 3 HEURES — 6 PORTIONS

— **1** Dans une casserole de grosseur moyenne, sur feu moyen-vif, amener le vin à ébullition. Retirer aussitôt du feu. Incorporer la gélatine et le sucre en fouettant jusqu'à ce qu'ils soient dissous. Ajouter le jus de raisin.

— **2** Répartir les fruits dans 6 verres ou pots de 250 ml (1 tasse), puis y verser le mélange de vin. Couvrir et réfrigérer jusqu'à ce que la gélatine ait pris, environ 3 heures.

— **VARIANTE**

Pour une gelée sans alcool, remplacer le vin blanc par 375 ml (1 1/2 tasse) de jus de raisin blanc et 375 ml (1 1/2 tasse) d'eau.

biscuits digestifs 12
kahlúa (liqueur de café)
1 c. à soupe
crème 35 % 180 ml (3/4 tasse)
extrait de vanille 1/2 c. à thé
dulce de leche en conserve
180 ml (3/4 tasse)
bananes 3, en tranches fines
copeaux de chocolat

Étagé de banane au dulce de leche et crème fouettée

PRÉPARATION 15 MINUTES — 12 PORTIONS

— 1 Disposer les biscuits côte à côte sur une plaque et badigeonner chacun d'un peu de kahlúa.

— 2 Dans un bol de grosseur moyenne, à l'aide d'un batteur électrique, fouetter la crème avec le reste de kahlúa et la vanille jusqu'à ce qu'elle forme des pics mous lorsqu'on soulève les fouets, environ 2 minutes. Étendre 1 c. à soupe de dulce de leche sur chaque biscuit. Couvrir chacun de 3 tranches de banane, puis de 2 c. à soupe de crème fouettée. Faire un autre étage de banane et garnir d'une cuillerée de crème fouettée. Parsemer de copeaux de chocolat.

— VARIANTE

Pour préparer un dulce de leche (confiture de lait) maison : Dans une casserole, déposer une boîte de lait concentré sucré (Eagle Brand) et la couvrir d'eau froide. Porter à ébullition, couvrir et laisser mijoter de 2 à 3 heures en ajoutant de l'eau au besoin. Laisser refroidir complètement la boîte à température ambiante avant de l'ouvrir.

crème glacée au café 1,5 litre
(6 tasses)
lait concentré sucré
(Eagle Brand) 1 boîte (300 ml)
café espresso chaud 375 ml
(1 1/2 tasse)

Affogato

PRÉPARATION 10 MINUTES — 12 PORTIONS

— 1 À l'aide d'une cuillère, répartir la crème glacée dans 12 coupes à dessert d'une capacité d'environ 125 ml (1/2 tasse). Arroser chaque portion de 1 c. à soupe de lait concentré. Verser 2 c. à soupe de café chaud sur le pourtour de chaque coupe.

— VARIANTES
• On peut remplacer le lait concentré sucré par une giclée de rhum brun foncé, de Tia Maria ou de Baileys.
• Comme le lait concentré sucré (Eagle Brand) est un lait évaporé (60 % de l'eau a été retirée) additionné de sucre, on peut le remplacer par du lait évaporé (Carnation) auquel on ajoute du sucre : mélanger 250 ml (1 tasse) de lait évaporé avec 260 g (1 1/4 tasse) de sucre, puis chauffer le mélange jusqu'à ce que le sucre soit dissous. Laisser refroidir.

SIROP AU BASILIC

sucre 210 g (1 tasse)
eau 250 ml (1 tasse)
feuilles de basilic frais 180 ml
(3/4 tasse), hachées

CROÛTE AU GINGEMBRE

biscuits au gingembre 310 ml
(1 1/4 tasse), broyés
beurre non salé 60 g (1/4 tasse),
fondu

CRÈME AUX FRAISES

fraises fraîches 1 litre (4 tasses),
équeutées et coupées en deux
vodka 60 ml (1/4 tasse)
basilic frais 60 ml (1/4 tasse),
haché
sirop au basilic 125 ml
(1/2 tasse) (voir recette, étape 1)
lait de coco léger 125 ml
(1/2 tasse)
crème à fouetter 35 % 125 ml
(1/2 tasse)

GARNITURE

fraises fraîches 500 ml
(2 tasses), équeutées et coupées
en demi-tranches
basilic frais 12 feuilles +
2 c. à soupe, haché au dernier
moment
sirop au basilic 125 ml
(1/2 tasse) (voir recette, étape 1)

Tartelettes aux fraises et au basilic

PRÉPARATION 20 MINUTES — **CUISSON** 5 MINUTES — **ATTENTE** 4 HEURES — 12 TARTELETTES

— **1** Pour la préparation du sirop au basilic : Dans une petite casserole, mélanger le sucre et l'eau. Chauffer sur feu moyen jusqu'à ce que le sucre soit dissous. Retirer du feu. Ajouter le basilic. Laisser infuser 15 minutes et passer au tamis. Jeter les feuilles de basilic. Laisser le sirop refroidir au réfrigérateur. Le sirop au basilic se conserve 1 mois au réfrigérateur dans un pot hermétique.

Préchauffer le four à 175 °C (350 °F).

— **2** Pour la préparation de la croûte au gingembre : Mettre la chapelure de biscuits dans un bol. Arroser du beurre fondu et mélanger. Répartir ce mélange au fond de 12 coupelles à muffins en papier et presser fermement pour faire une base d'environ 1 cm (1/2 po) d'épaisseur. Cuire au four 5 minutes. Laisser refroidir. Réserver.

— **3** Pour la préparation de la crème aux fraises : Mettre tous les ingrédients, sauf la crème à fouetter, dans le récipient d'un mélangeur et réduire en purée. Verser dans un grand bol de verre ou de métal.

— **4** Dans un autre bol, fouetter la crème jusqu'à ce qu'elle forme des pics moyennement fermes, 2 ou 3 minutes. Incorporer un tiers de la crème fouettée à la préparation aux fraises en pliant délicatement à la spatule. Répéter avec le reste de la crème fouettée, en procédant en deux fois.

— **5** Répartir la crème aux fraises dans les moules à muffins. Placer au congélateur 4 heures. (Se conserve jusqu'à 2 jours au congélateur couvert d'une pellicule de plastique.) Mettre au réfrigérateur 20 minutes avant de servir. Démouler. Garnir de morceaux de fraise et d'une feuille de basilic. Arroser de sirop au basilic au goût et parsemer de basilic haché.

framboises surgelées
1 paquet (600 g), environ
1,5 litre (6 tasses)
sucre 50 g (1/4 tasse)
tequila 60 ml (1/4 tasse)
jus de lime 2 c. à soupe

GARNITURES (FACULTATIF)
sel 2 c. à soupe
sucre 2 c. à soupe
lime 1 quartier
menthe fraîche

Sorbet margarita aux framboises

PRÉPARATION 10 MINUTES — 6 PORTIONS

—**1** Au robot culinaire, mixer les framboises surgelées avec le sucre, la tequila et le jus de lime jusqu'à ce que le mélange ait une consistance crémeuse, environ 5 minutes. Racler la paroi du récipient au besoin.

—**2** Pour la garniture, si désiré : Mélanger le sel et le sucre. Mouiller la bordure de 6 verres à pied avec un quartier de lime ou avec de l'eau et la passer dans le mélange sel-sucre.

—**3** À l'aide d'une cuillère, répartir sans tarder le sorbet dans les verres. Garnir de feuilles de menthe, si désiré.

— VARIANTE

Sorbet aux fraises parfumé au basilic : Dans une casserole, chauffer sur feu doux 500 ml (2 tasses) de fraises en morceaux, 125 ml (1/2 tasse) de sucre et 125 ml (1/2 tasse) d'eau jusqu'à ce que le sucre soit tout juste dissous en remuant avec une cuillère et en évitant l'ébullition. Retirer du feu, ajouter 160 ml (2/3 tasse) de basilic frais grossièrement haché (garder quelques petites feuilles pour garnir), couvrir et laisser infuser 30 minutes. Réduire en purée au robot culinaire et ajouter 1 c. à soupe de jus de citron. Passer au tamis pour éliminer les petits morceaux de basilic, si désiré. Mettre au congélateur 8 heures. Broyer le mélange au robot culinaire. Remettre au congélateur jusqu'à ce que le sorbet soit ferme, au moins 3 heures. Le sortir du congélateur 15 minutes avant de servir. Garnir de basilic.

yogourt nature 10 % 750 ml (3 tasses) froid, de préférence de style Méditerranée
miel 125 ml (1/2 tasse)
extrait de vanille 2 c. à thé

GARNITURE
framboises fraîches 250 ml (1 tasse)
pistaches 80 ml (1/3 tasse), grossièrement hachées
sirop d'érable 6 c. à thé

Yogourt glacé à la vanille, purée de framboises

PRÉPARATION 40 MINUTES — 6 PORTIONS

Refroidir le bol d'une sorbetière au congélateur au moins 15 heures à l'avance.

— **1** Dans un grand bol, fouetter le yogourt avec le miel et la vanille jusqu'à ce que le mélange soit lisse.

— **2** Verser le mélange dans le bol de la sorbetière et mixer en suivant les instructions du fabricant, de 30 à 45 minutes. Transférer dans un contenant muni d'un couvercle et congeler. Se conserve 1 mois au congélateur.

— **3** Au moment de servir, laisser ramollir légèrement le yogourt glacé à température ambiante, environ 10 minutes.

— **4** Pendant ce temps, au mélangeur ou au robot culinaire, réduire 125 ml (1/2 tasse) de framboises en purée.

— **5** Répartir le yogourt glacé dans 6 coupes à dessert, garnir chacune de purée de framboises, du reste des framboises fraîches, des pistaches et du sirop d'érable.

— **VARIANTE**

Yogourt glacé marbré aux bleuets : Dans une poêle, mélanger 250 ml (1 tasse) de bleuets avec 60 ml (1/4 tasse) de miel et 2 c. à soupe de jus de citron et amener à ébullition sur feu vif. Réduire le feu à moyen et laisser mijoter en remuant de temps à autre jusqu'à ce que la préparation soit sirupeuse, de 8 à 10 minutes. Verser le sirop de bleuets dans un bol en métal et le mettre au congélateur jusqu'à ce qu'il soit froid, environ 1 heure. Étager le yogourt glacé à la vanille en alternant avec le sirop de bleuets refroidi dans des contenants. Réserver au congélateur.

LIQUIDE DE TREMPAGE AU RHUM
poudre de café instantané
1/2 c. à thé
eau tiède 3 c. à soupe
rhum ambré 2 c. à soupe

CRÈMES AU MASCARPONE
jaunes d'œufs 10
sucre 210 g (1 tasse)
lait 750 ml (3 tasses)
fromage mascarpone italien
de bonne qualité 560 ml
(2 1/4 tasses) ou
1 contenant de 500 g
extrait de vanille 1/4 c. à thé
poudre de café instantané
3 c. à thé

MERINGUE SOUPLE
blancs d'œufs 3, à température
ambiante
sucre 100 g (1/2 tasse)

biscuits de Savoie 10 à 15

Bombe glacée style tiramisu

PRÉPARATION 1 HEURE — **CUISSON** 15 MINUTES — **ATTENTE** 8 HEURES — 10 À 14 PORTIONS

— **1** Pour la préparation du liquide de trempage au rhum : Dans un petit bol, dissoudre la poudre de café dans l'eau tiède. Ajouter le rhum. Couvrir et réserver au réfrigérateur.

— **2** Pour la préparation des crèmes au mascarpone : Dans une casserole à fond épais, hors du feu, fouetter les jaunes d'œufs et le sucre, jusqu'à ce que le mélange soit homogène.

— **3** Dans une casserole, sur feu vif, chauffer le lait et la moitié du mascarpone, en fouettant jusqu'à ce que le mélange soit homogène. Chauffer jusqu'à ébullition, 3 ou 4 minutes environ. Verser graduellement dans le mélange de jaunes d'œufs en fouettant.

— **4** Cuire sur feu moyen-doux, en remuant avec une spatule et en prenant soin de bien racler le fond de la casserole jusqu'à ce que la crème nappe le dos d'une cuillère, de 5 à 7 minutes environ. Éviter l'ébullition. Verser à travers un tamis dans un bol. Ajouter le reste du mascarpone et fouetter jusqu'à ce que le mélange soit homogène, sans grumeaux. Ajouter la vanille. Prélever 125 ml (1/2 tasse) du mélange et y dissoudre la poudre de café. Couvrir et réfrigérer séparément les deux mélanges jusqu'à ce qu'ils soient bien froids, environ 3 heures.

Placer une grille au centre du four. Préchauffer le four à 230 °C (450 °F). Tapisser une plaque de papier sulfurisé (parchemin). Tapisser l'intérieur d'un moule à bombe ou d'un cul-de-poule d'une capacité de 1,5 à 2 litres (6 à 8 tasses) de pellicule de plastique mouillée.

— **5** Pour la préparation de la meringue souple : Dans un petit bol, battre les blancs d'œufs jusqu'à ce qu'ils forment des pics mous, 2 minutes environ. Ajouter le sucre graduellement en battant jusqu'à ce que des pics recourbés et lustrés se forment, 1 ou 2 minutes.

— **6** Pour le montage de la bombe : Turbiner la crème au mascarpone nature à la sorbetière (ou la mettre au congélateur) jusqu'à ce qu'elle ait la consistance d'une crème glacée molle. En verser la moitié dans le moule tapissé de pellicule de plastique. Turbiner la crème au mascarpone au café (ou la mettre au congélateur) jusqu'à l'obtention de la même consistance. En verser la moitié sur la crème au mascarpone moulée et former des marbrures avec le dos d'une cuillère. Répéter avec le reste des crèmes. Lisser la surface. Réserver au congélateur.

— **7** Tremper les biscuits de Savoie, un à la fois, dans le liquide de trempage au rhum, quelques secondes de chaque côté. Le centre des biscuits ne doit pas être imbibé. Recouvrir la base de la bombe avec les biscuits trempés, en les coupant au besoin pour tapis-ser toute la surface. Exercer une légère pression pour que les biscuits adhèrent bien à la crème glacée. Couvrir de pellicule de plastique et mettre au congélateur au moins 5 heures.

— **8** Démouler la crème glacée en faisant couler de l'eau chaude sur le moule pour faciliter l'opération, en veillant à ne pas mouiller la préparation. Retirer la pellicule de plastique. Renverser la bombe sur la plaque de cuisson. Étendre la meringue uniformément sur toute sa surface, en créant une texture avec le dos d'une cuillère.

— **9** Cuire la bombe au four 4 ou 5 minutes, ou jusqu'à ce que la meringue soit d'un beau doré, en surveillant bien la cuisson. Transférer, en utilisant le papier sulfurisé (parchemin), sur une assiette froide. Mettre au congélateur immédiatement et réserver jusqu'au moment de servir (jusqu'à 3 jours). La sortir du congélateur de 5 à 10 minutes avant de servir pour faciliter le découpage (utiliser un couteau chaud et sec).

CROÛTE AUX BISCUITS GRAHAM
chapelure de biscuits Graham
310 ml (1 1/4 tasse)
crème 35 % 2 c. à soupe

MOUSSE AU CHOCOLAT
chocolat mi-amer 170 g
(environ 6 carrés), haché
blancs d'œufs 6
sel 1/4 c. à thé
crème 35 % 250 ml (1 tasse)
sucre 50 g (1/4 tasse)
extrait de vanille 1 c. à thé

GARNITURE À LA MERINGUE
sucre 100 g (1/2 tasse)
extrait de vanille 1/2 c. à thé
eau 3 c. à soupe
blancs d'œufs 2
amandes effilées 60 ml
(1/4 tasse), grillées (voir
technique, p. 21)

Gâteau glacé, mousse au chocolat et meringue

PRÉPARATION 25 MINUTES — **CUISSON** 5 MINUTES — **ATTENTE** 3 HEURES — 8 À 10 PORTIONS

Détacher le fond d'un moule à charnière de 23 cm (9 po) de diamètre. Le tapisser de papier d'aluminium avant de le réinsérer dans le moule.

— **1** Pour la préparation de la croûte aux biscuits Graham : Dans un bol de grandeur moyenne, mélanger la chapelure et la crème, mais sans trop travailler la préparation – elle doit rester granuleuse. Étendre le mélange de chapelure dans le moule préparé en l'écrasant en une couche uniforme.

— **2** Pour la préparation de la mousse au chocolat : Dans un grand bol en verre, mettre le chocolat. Chauffer au micro-ondes à intensité moyenne jusqu'à ce qu'il soit presque fondu, environ 3 minutes – remuer à mi-cuisson. Retirer du micro-ondes. Remuer jusqu'à ce que le chocolat soit complètement fondu. Réserver.

— **3** Dans un bol de grandeur moyenne, à l'aide d'un batteur électrique réglé à vitesse élevée, battre les blancs d'œufs avec le sel jusqu'à ce qu'ils forment des pics mous quand on soulève les batteurs, environ 2 minutes. Réserver. En utilisant les mêmes batteurs (inutile de les laver), dans un grand bol, battre la crème à vitesse élevée en y ajoutant graduellement le sucre, puis la vanille, jusqu'à ce que la préparation forme des pics mous, environ 2 minutes. À l'aide d'une spatule, y incorporer délicatement les blancs d'œufs en pliant, sans trop mélanger.

— **4** Incorporer le tiers de cette préparation au chocolat tiédi. Ajouter le reste de la préparation, en pliant, jusqu'à ce qu'il n'y ait plus de stries blanches. Étendre sur la croûte de chapelure et égaliser le dessus. Mettre au congélateur jusqu'à ce que la mousse soit ferme, environ 3 heures.

— **5** Pour la préparation de la garniture à la meringue : Dans une petite casserole, sur feu moyen-vif, mélanger le sucre, la vanille et l'eau. Porter à ébullition et laisser bouillir 1 minute sans remuer. Retirer du feu. Dans un bol, à l'aide d'un batteur électrique réglé à vitesse élevée, fouetter les blancs d'œufs jusqu'à ce qu'ils forment des pics mous quand on soulève les fouets, environ 1 minute. Y verser graduellement le sirop chaud, en fouettant, jusqu'à la formation de pics fermes, de 4 à 5 minutes. Étendre sur le dessert congelé en formant des pics décoratifs. Garnir des amandes effilées grillées.

rhubarbe fraîche ou surgelée 250 ml (1 tasse), tranchée finement
eau 500 ml (2 tasses)
sucre 210 g (1 tasse)
sel 1/4 c. à thé
fraises fraîches 2 litres (8 tasses), équeutées
jus de citron ou de lime 2 c. à soupe
zeste de citron ou de lime 2 c. à thé (facultatif)

Granité aux fraises et à la rhubarbe

PRÉPARATION 12 MINUTES — **CUISSON** 8 MINUTES — **ATTENTE** 5 HEURES — DONNE 1,375 LITRE (5 1/2 TASSES)

— **1** Dans une casserole de grosseur moyenne, mettre la rhubarbe, 250 ml (1 tasse) d'eau, le sucre et le sel. Cuire sur feu moyen-vif jusqu'à ce que la rhubarbe soit tendre, 8 ou 9 minutes. Retirer du feu. Verser le contenu de la casserole dans une passoire fine posée sur un bol. À l'aide d'une louche, presser sur la rhubarbe pour en extraire le jus. Jeter la pulpe.

— **2** Dans le récipient d'un robot culinaire, mettre 1 litre (4 tasses) de fraises. Ajouter 250 ml (1 tasse) d'eau, le jus de citron et le zeste, si désiré. Actionner l'appareil par touches successives jusqu'à ce que la préparation soit homogène. Déposer la préparation dans un plat de 23 cm x 33 cm (9 po x 13 po). Dans le récipient du robot culinaire, verser le jus de rhubarbe. Ajouter 1 litre (4 tasses) de fraises. Actionner l'appareil par touches successives jusqu'à ce que la préparation soit homogène. Incorporer à la préparation précédente. Couvrir d'une pellicule de plastique. Congeler jusqu'à ce que la préparation soit ferme, environ 5 heures. Le granité se conserve jusqu'à 1 semaine au congélateur.

— **3** Laisser 10 minutes à température ambiante avant de servir. Avec une fourchette ou une cuillère, prélever le granité en raclant d'une extrémité à l'autre du plat. Si désiré, présenter trois granités différents, par étage, dans des verres (voir les variantes).

— VARIANTES

• Aux fraises : Cuire le sirop comme indiqué dans la recette (étape 1), en omettant la rhubarbe.

• Aux kiwis : Cuire le sirop comme indiqué dans la recette (étape 1), en omettant la rhubarbe. Au lieu des fraises, utiliser 2 litres (8 tasses) de kiwis parés et hachés.

• Au cantaloup : Cuire le sirop comme indiqué dans la recette (étape 1), en omettant la rhubarbe. Au lieu des fraises, utiliser 2 litres (8 tasses) de cantaloup haché.

• Au melon d'eau : Dans une petite casserole, chauffer sur feu moyen 100 g (1/2 tasse) de sucre, 3 c. à soupe d'eau et 1/4 c. à thé de sel, en remuant de temps à autre, jusqu'à ce que le mélange bouillonne, 2 ou 3 minutes. Retirer du feu. Réduire 1 litre (4 tasses) de cubes de melon d'eau épépiné au robot culinaire en purée lisse. Verser dans un moule de 23 cm x 33 cm (9 po x 13 po). Déposer le mélange de sucre dans le récipient du robot culinaire avec 1 litre (4 tasses) de cubes de melon d'eau épépiné et réduire en purée lisse. Verser dans le moule. Ajouter 2 c. à thé de zeste de citron ou de lime, si désiré, et mélanger. Couvrir d'une pellicule de plastique. Mettre au congélateur jusqu'à l'apparition de cristaux sur la paroi du moule, environ 40 minutes. Avec une fourchette, gratter et mélanger les cristaux dans le granité. Répéter toutes les 40 minutes jusqu'à ce que la préparation soit congelée, 3 ou 4 heures.

crème de cacao 250 ml (1 tasse)
vodka aromatisée à la vanille
125 ml (1/2 tasse)
lait 250 ml (1 tasse)
**poudre chocolatée pour
boisson instantanée** 125 ml
(1/2 tasse)
glaçons 750 ml (3 tasses)
copeaux de chocolat
(facultatif)

Martini glacé au chocolat

PRÉPARATION 5 MINUTES — 4 PORTIONS

— **1** Dans le récipient d'un mélangeur, verser la crème de cacao, la vodka et le lait. Ajouter la poudre chocolatée et mixer à vitesse moyenne 1 minute ou jusqu'à ce qu'elle soit complètement dissoute. Ajouter les glaçons. En utilisant la fonction boisson glacée (*frozen drink*) ou glace concassée (*ice crush*), mixer jusqu'à ce que la préparation ait la consistance d'une barbotine (*slush*), environ 1 minute.
— **2** Répartir dans quatre verres à martini. Décorer de copeaux de chocolat, si désiré, et servir aussitôt.

— Biscuits, brownies et carrés

— INGRÉDIENTS

beurre non salé 60 g (1/4 tasse)

miel 3 c. à soupe

sucre 50 g (1/4 tasse)

gingembre moulu 2 c. à thé

sel 1/8 c. à thé

farine tout usage 45 g (1/3 tasse)

Cigares au gingembre

PRÉPARATION 40 MINUTES — **CUISSON** 10 MINUTES — ENVIRON 12 CIGARES

Placer une grille au centre du four. Préchauffer le four à 200 °C (400 °F). Tapisser deux grandes plaques à pâtisserie de papier sulfurisé (parchemin). Utiliser deux cuillères en bois à manche long et rond et badigeonner les manches d'huile.

— **1** Dans une petite casserole, sur feu moyen-doux, faire fondre le beurre avec le miel, le sucre, le gingembre et le sel en remuant sans arrêt jusqu'à ce que le sucre soit dissous, 5 ou 6 minutes. Retirer du feu. Incorporer la farine et mélanger jusqu'à ce que la pâte soit lisse.

— **2** Sur chaque plaque, laisser tomber 6 c. à thé rases de pâte en les espaçant de 7,5 cm (3 po). Mettre une plaque au four et cuire jusqu'à ce que des bulles apparaissent sur les biscuits et que le pourtour et le centre soient dorés, 3 ou 4 minutes. Si les biscuits sont trop pâles, poursuivre la cuisson en vérifiant toutes les 30 secondes, jusqu'à ce qu'ils soient dorés. Déposer la plaque sur une grille et laisser tiédir les biscuits environ 1 minute, ou jusqu'à ce qu'ils aient raffermi, mais soient encore souples.

— **3** À l'aide d'une spatule en métal, détacher 3 biscuits de la plaque et les déposer côte à côte sur le manche d'une des cuillères en bois. Enrouler délicatement en forme de cigare. Répéter avec les 3 autres biscuits sur l'autre cuillère en bois. Laisser sur le manche jusqu'à ce qu'ils soient fermes. Faire glisser les cigares sur une grille, l'ouverture dessous, et laisser refroidir complètement. Répéter avec le reste de la pâte. Les cigares au gingembre se conservent 2 jours à température ambiante dans un contenant hermétique.

PLUS Si les biscuits ont trop durci pour être roulés, les remettre au four quelques secondes afin qu'ils ramollissent.

noix de Grenoble 50 g (1/2 tasse)
gros flocons d'avoine 125 ml
(1/2 tasse)
farine tout usage 35 g (1/4 tasse)
beurre non salé 60 g (1/4 tasse)
crème 35 % 125 ml (1/2 tasse)
sucre 100 g (1/2 tasse)
chocolat noir de bonne qualité
125 g, grossièrement haché
sel de Maldon 1/2 c. à thé
(facultatif)

Palets aux noix et au chocolat

PRÉPARATION 45 MINUTES — **CUISSON** 13 MINUTES PAR FOURNÉE — **ATTENTE** 2 HEURES — ENVIRON 40 PALETS

Placer une grille au centre du four. Préchauffer le four à 160 °C (325 °F). Tapisser deux plaques à pâtisserie de papier sulfurisé (parchemin).

—**1** Au robot culinaire, moudre finement les noix avec les flocons d'avoine et la farine (le mélange aura une apparence de sable mouillé). Laisser le mélange dans le robot.

—**2** Dans une casserole de grosseur moyenne, sur feu moyen, faire fondre le beurre avec la crème et le sucre. Amener au point d'ébullition, puis fouetter constamment pendant 1 minute. Verser la préparation de beurre sur le mélange de noix dans le récipient du robot et mixer jusqu'à ce que la pâte soit lisse, environ 30 secondes – la pâte sera chaude. Laisser tomber la pâte par cuillerées à thé combles sur les plaques, en les espaçant d'au moins 5 cm (2 po) – les biscuits s'étaleront en cuisant.

—**3** Cuire au four, une plaque à la fois, jusqu'à ce que le pourtour et le centre des biscuits soient d'un doré foncé, de 13 à 15 minutes. Laisser tiédir sur la plaque 2 minutes, puis déposer les biscuits sur une grille et laisser refroidir complètement. Répéter avec le reste de la pâte.

—**4** Dans un bol allant au micro-ondes, faire chauffer le chocolat au micro-ondes à intensité moyenne environ 1 minute, jusqu'à ce qu'il soit presque fondu – remuer à mi-cuisson. Remuer jusqu'à ce que le chocolat soit complètement fondu. Laisser reposer jusqu'à ce qu'il refroidisse mais soit encore tartinable, de 10 à 12 minutes.

—**5** Tourner les biscuits à l'envers et laisser tomber sur chacun 1/2 c. à thé de chocolat fondu, puis l'étendre en une fine couche jusqu'au bord avec une spatule à glacer ou un couteau à beurre. Remettre les biscuits sur la grille, côté chocolat dessus. Dessiner un motif ondulé dans le chocolat avec les dents d'une fourchette sur tous les biscuits, puis les parsemer de sel de Maldon, si désiré. Laisser reposer jusqu'à ce que le chocolat soit ferme, environ 2 heures. Placés entre des feuilles de papier ciré dans un contenant hermétique, les palets aux noix et au chocolat se conservent 5 jours à température ambiante ou 1 mois au congélateur.

BROWNIES

pastilles de chocolat noir 65 %
100 g (3/4 tasse)
beurre salé 125 g (1/2 tasse)
sucre 210 g (1 tasse)
poudre de cacao 2 1/2 c. à soupe
œufs 2
vodka 2 c. à soupe
kahlúa (liqueur de café)
1 c. à soupe
farine tout usage 130 g (1 tasse)
pacanes 100 g (1 tasse),
grossièrement hachées
pépites de chocolat noir 35 g
(1/4 tasse)

SAUCE CHOCO-CARAMEL-KAHLÚA

sucre 100 g (1/2 tasse)
sirop de maïs 1 c. à thé
eau 60 ml (1/4 tasse)
kahlúa (liqueur de café) 80 ml
(1/3 de tasse)
crème à cuisson 35 % 180 ml
(3/4 tasse)
beurre 1 c. à soupe
pastilles de chocolat noir 65 %
75 g (1/2 tasse)
vodka 1 c. à soupe (facultatif)
fleur de sel 1 pincée

crème glacée à la vanille
(garniture) (facultatif)

Brownies décadents

PRÉPARATION 25 MINUTES — **CUISSON** 30 MINUTES — 9 À 12 BROWNIES

Préchauffer le four à 175 °C (350 °F). Beurrer un moule carré de 20 cm (8 po).

— 1 Faire fondre les pastilles de chocolat et le beurre au bain-marie 2 ou 3 minutes (ou au micro-ondes environ 40 secondes) en remuant de temps à autre. Attention de ne pas trop chauffer. Laisser refroidir.

— 2 Mettre le sucre, le cacao et les œufs dans le grand bol d'un batteur sur socle. (Ou utiliser un batteur électrique.) Mélanger à vitesse moyenne-élevée 2 ou 3 minutes environ. Ajouter le mélange chocolat-beurre refroidi. Mélanger à basse vitesse jusqu'à ce que la préparation soit homogène, 1 minute. Incorporer la vodka et le kahlúa et mélanger 30 secondes.

— 3 Ajouter la farine, les pacanes et les pépites de chocolat. Mélanger 30 secondes de plus au batteur à vitesse moyenne-élevée pour rendre le tout presque homogène. Verser dans le moule.

— 4 Cuire au four de 20 à 25 minutes. Le brownie doit être légèrement ferme au toucher. Laisser refroidir. Découper en carrés.

— 5 Pour la préparation de la sauce choco-caramel-kahlúa : Dans une petite casserole, sur feu moyen, chauffer le sucre, le sirop de maïs et l'eau jusqu'à ce que le mélange soit bien doré, environ 5 minutes. Retirer du feu et ajouter le kahlúa et la crème. Incorporer le beurre et les pastilles de chocolat. Mélanger avec une spatule jusqu'à ce que la préparation soit lisse. Incorporer la vodka et la fleur de sel. Réserver à température ambiante.

— 6 Servir les brownies à température ambiante avec la sauce choco-caramel-kahlúa ou de la crème glacée, si désiré, ou les deux. Ce dessert peut être préparé la veille. Réserver au réfrigérateur au besoin.

farine tout usage 260 g
(2 tasses)
sucre glace 90 g (3/4 tasse)
farine de riz 50 g (1/3 tasse)
sel 3/4 c. à thé
beurre non salé 250 g (1 tasse),
froid, en cubes

Sablés au beurre

PRÉPARATION 15 MINUTES — **CUISSON** 25 MINUTES — 24 SABLÉS

Placer une grille au centre du four. Préchauffer le four à 150 °C (300 °F). Tapisser un moule en métal antiadhésif de 23 cm x 33 cm (9 po x 13 po) de papier sulfurisé (parchemin), en laissant dépasser un excédent sur les côtés.

— 1 Au robot culinaire, mélanger la farine tout usage avec le sucre glace, la farine de riz et le sel. Ajouter le beurre par le tube d'alimentation et mélanger en actionnant l'appareil par touches successives jusqu'à ce que la pâte commence à se tenir – elle sera légèrement grumeleuse. Presser la pâte dans le fond du moule, puis la lisser avec le dessous plat d'une tasse à mesurer. Avec la pointe d'un couteau, tracer 24 carrés sur la surface de la pâte. Piquer toute la surface de la pâte avec une fourchette.

— 2 Cuire au four jusqu'à ce que le dessus du biscuit soit doré, sans plus, de 25 à 30 minutes. Couper en carrés pendant que le biscuit est encore chaud. Soulever le papier sulfurisé avec les sablés, déposer le tout sur une grille et laisser refroidir. Ces sablés se conservent quelques semaines à température ambiante dans un contenant hermétique.

— VARIANTES

• Au caramel et au chocolat : Hacher 2 tablettes au chocolat et au caramel Skor de 39 g chacune et les ajouter aux ingrédients secs.

• Au nougat et aux amandes : Presser un morceau de tablette Toblerone dans chaque carré de pâte tracé, avant la cuisson.

• Au citron : Ajouter 1 c. à soupe de zeste de citron râpé aux ingrédients secs. Pendant la cuisson, fouetter 90 g (3/4 tasse) de sucre glace tamisé avec 3 c. à soupe de jus de citron. Placer les sablés refroidis sur une grille déposée sur une assiette ou sur une plaque, et les badigeonner légèrement de cette glace – le surplus s'écoulera entre les grilles. Laisser reposer 1 heure ou jusqu'à ce que la glace soit sèche.

• Au chocolat : Diminuer la quantité de farine de riz à 3 c. à soupe, la tamiser avec 3 c. à soupe de cacao et ajouter le mélange aux ingrédients secs. Arroser les sablés refroidis de chocolat fondu.

CROÛTE À LA NOIX DE COCO

farine tout usage 130 g
(1 tasse)
noix de coco râpée, sucrée
250 ml (1 tasse)
sucre glace 60 g (1/2 tasse)
beurre non salé 125 g (1/2 tasse),
à température ambiante

GARNITURE AU CITRON

jus de citron 250 ml (1 tasse),
fraîchement pressé
(environ 4 citrons)
œufs 6
sucre 570 g (2 3/4 tasses)
farine tout usage 65 g (1/2 tasse)
sucre glace pour saupoudrer
(facultatif)

Carrés au citron et à la noix de coco

PRÉPARATION 20 MINUTES — **CUISSON** 50 MINUTES — 24 CARRÉS

Placer une grille au centre du four. Préchauffer le four à 175 °C (350 °F). Beurrer légèrement le fond et la paroi d'un moule de 23 cm x 33 cm (9 po x 13 po).

— 1 Pour la préparation de la croûte à la noix de coco : Dans un grand bol, mélanger la farine avec la noix de coco et le sucre glace. Ajouter le beurre et mélanger avec les doigts ou un coupe-pâte jusqu'à ce que la préparation ait l'apparence d'une chapelure grossière. Presser uniformément la pâte dans le fond du moule (la croûte sera mince). Cuire au four jusqu'à ce que la croûte commence à dorer, de 20 à 22 minutes – commencer à vérifier la cuisson après 15 minutes. Retirer le moule du four et le déposer sur une surface à l'épreuve de la chaleur.

Réduire la température du four à 160 °C (325 °F).

— 2 Pour la préparation de la garniture au citron : Dans un grand bol, fouetter le jus de citron avec les œufs jusqu'à ce que le mélange soit homogène. Mélanger le sucre et la farine et les incorporer au mélange d'œufs en fouettant. Verser la garniture au citron sur la croûte chaude. Vérifier que la température du four soit bien réduite à 160 °C (325 °F) et cuire jusqu'à ce que la garniture soit prise lorsqu'on secoue le moule, de 30 à 35 minutes. Déposer le moule sur une grille et laisser refroidir complètement. On peut couvrir le moule et conserver les carrés (non coupés) 3 jours au réfrigérateur ou envelopper le moule de papier d'aluminium et les conserver 1 mois au congélateur. Décongeler au réfrigérateur. Couper en carrés de 5 cm (2 po) juste avant de servir. Saupoudrer de sucre glace, si désiré.

— VARIANTE

Pour des carrés au citron classiques, omettre la noix de coco. Couper en bâtonnets de la grosseur d'un doigt.

farine tout usage 200 g
(1 1/2 tasse)

poudre de cacao 90 g (1 tasse),
de préférence de type Fry's

bicarbonate de soude 1 c. à thé

piment de Cayenne
1/2 à 1 c. à thé

cannelle 1 c. à thé

brisures de chocolat ou
morceaux de chocolat 250 ml
(1 tasse)

œufs 2

cassonade 210 g (1 tasse),
légèrement tassée

sucre 210 g (1 tasse)

huile de canola 125 ml
(1/2 tasse)

gingembre frais râpé ou jus de
gingembre 3 c. à soupe

extrait de vanille 1 c. à soupe

gros sel ou sucre 1 c. à thé

Biscuits épicés au chocolat

PRÉPARATION 15 MINUTES — **CUISSON** 11 MINUTES PAR FOURNÉE — 12 BISCUITS

Placer une grille au centre du four. Préchauffer le four à 190 °C (375 °F). Vaporiser légèrement d'huile deux plaques à pâtisserie.

— 1 Dans un grand bol, tamiser la farine avec le cacao, le bicarbonate de soude, le piment de Cayenne et la cannelle. Ajouter les brisures de chocolat et remuer.

— 2 Dans un bol de grosseur moyenne, fouetter les œufs. Ajouter la cassonade, le sucre, l'huile, le gingembre et la vanille en fouettant. Incorporer ce mélange aux ingrédients secs et mélanger jusqu'à ce que la pâte soit homogène.

— 3 Déposer 6 portions de pâte de 60 ml (1/4 tasse) chacune sur chaque plaque à pâtisserie. Aplatir légèrement les biscuits avec le dessous plat d'une tasse à mesurer et les saupoudrer de gros sel.

— 4 Cuire les biscuits au four, une plaque à la fois, jusqu'à ce qu'ils commencent à craqueler, de 11 à 13 minutes – ils doivent être encore un peu mous au centre. Déposer les biscuits sur une grille et les laisser refroidir.

farine tout usage 300 g
(2 1/4 tasses)
bicarbonate de soude 1 c. à thé
gingembre moulu 1 c. à thé
cannelle moulue 1/2 c. à thé
clou de girofle moulu 1/4 c. à thé
sel 1/4 c. à thé
beurre 180 g (3/4 tasse),
à température ambiante
cassonade 210 g (1 tasse),
légèrement tassée
œuf 1
mélasse 60 ml (1/4 tasse),
de qualité supérieure
gingembre frais 1 c. à thé, haché
finement
zeste de citron 1/2 c. à thé, râpé
chocolat noir 115 g, haché
sucre 65 g (1/3 tasse)
pour enrober

Biscuits choco-gingembre

PRÉPARATION 25 MINUTES — **CUISSON** 10 MINUTES — **ATTENTE** 20 MINUTES — 45 BISCUITS

—**1** Dans un grand bol, mélanger la farine, le bicarbonate de soude, le gingembre, la cannelle, le clou de girofle et le sel.

—**2** Dans un autre grand bol, au batteur électrique, battre le beurre et la cassonade jusqu'à ce que la préparation soit pâle et crémeuse, environ 2 minutes. Ajouter l'œuf, la mélasse, le gingembre et le zeste de citron en continuant de battre – la préparation sera un peu granuleuse. Incorporer graduellement la farine et mélanger, sans plus. Ajouter le chocolat. Recouvrir le bol d'une pellicule de plastique. Réfrigérer jusqu'à ce que la pâte soit assez ferme pour être travaillée, environ 20 minutes.

Placer une grille dans le tiers inférieur du four et une autre dans le tiers supérieur. Préchauffer le four à 175 °C (350 °F). Vaporiser d'enduit antiadhésif deux plaques à pâtisserie.

—**3** Former des boules de pâte d'environ 1 c. à soupe. Les enrober de sucre et les répartir sur les plaques en les espaçant d'au moins 5 cm (2 po). Les aplatir délicatement à l'aide d'une fourchette. Cuire jusqu'à ce que les biscuits soient gonflés et légèrement dorés, de 10 à 12 minutes, ou de 12 à 15 minutes pour des biscuits plus croustillants. Retourner et intervertir les plaques à mi-cuisson. Déposer les biscuits sur une grille. Laisser refroidir. Les biscuits se conservent, dans un contenant hermétique, jusqu'à 1 semaine à température ambiante, ou 1 mois au congélateur.

farine tout usage 325 g
(2 1/2 tasses)
poudre à lever (poudre à pâte)
1 c. à thé
sel 3/4 c. à thé
beurre non salé 160 g (2/3 tasse),
à température ambiante
sucre 210 g (1 tasse)
œufs 2
extrait de vanille 2 c. à thé
sucre glace
**confiture de framboises sans
pépins** 180 ml (3/4 tasse)

Cœurs à la framboise

PRÉPARATION 40 MINUTES — **CUISSON** 7 MINUTES PAR FOURNÉE — **ATTENTE** 2 HEURES + 10 MINUTES — 35 BISCUITS

—**1** Dans un grand bol, mélanger la farine, la poudre à lever et le sel.

—**2** Dans un autre grand bol, au batteur électrique réglé à vitesse moyenne-élevée, mélanger le beurre avec le sucre jusqu'à ce que la préparation soit crémeuse, environ 3 minutes. Incorporer les œufs, un à la fois, en battant. Ajouter la vanille. À l'aide d'une cuillère en bois, ajouter graduellement la farine jusqu'à ce que la préparation soit homogène.

—**3** Former une boule de pâte. La diviser en deux. Aplatir chaque boule en forme de disque. Envelopper séparément d'une pellicule de plastique. Réfrigérer jusqu'à ce que la pâte soit ferme, au moins 2 heures, ou jusqu'à 1 semaine. Ou envelopper de papier d'aluminium et congeler 1 mois.

Placer une grille au centre du four. Préchauffer le four à 190 °C (375 °F). Tapisser deux plaques à pâtisserie de papier sulfurisé (parchemin). Fariner un rouleau à pâtisserie.

—**4** Sur une surface farinée, abaisser la pâte à 1 cm (1/8 po) d'épaisseur, ou moins. Découper la pâte à l'aide d'un emporte-pièce en forme de cœur de 5 à 7,5 cm (2 à 3 po) de diamètre. Déposer les morceaux sur les plaques en les espaçant d'environ 5 cm (2 po). Utiliser un plus petit emporte-pièce en forme de cœur pour percer un trou au centre de la moitié des biscuits.

—**5** Cuire au four, une plaque à la fois, jusqu'à ce que les biscuits soient légèrement dorés, de 7 à 8 minutes, selon l'épaisseur des biscuits. Déposer la plaque sur une grille pendant 5 minutes. Déposer les biscuits directement sur des grilles. Laisser refroidir complètement.

—**6** Répéter avec le reste de la pâte. Rassembler les retailles pour former un autre disque. Réfrigérer jusqu'à ce qu'il soit assez ferme pour l'abaisser, environ 10 minutes.

—**7** Saupoudrer les biscuits percés de sucre glace. Badigeonner les biscuits entiers, qui formeront la base, de 1 c. à thé de confiture chacun. Par-dessus, déposer les biscuits percés et presser légèrement. Les biscuits se conservent, dans un contenant hermétique, jusqu'à 1 semaine à température ambiante, ou 1 mois au congélateur.

farine tout usage 325 g
(2 1/2 tasses)
sucre 210 g (1 tasse)
graines de citrouille 60 ml
(1/4 tasse), crues et décortiquées,
non salées
épices à tarte à la citrouille
2 c. à thé
poudre à lever (poudre à pâte)
1 1/2 c. à thé
sel 1/8 c. à thé
œufs 2
purée de citrouille 125 ml
(1/2 tasse)
beurre non salé 125 g (1/2 tasse),
fondu
extrait de vanille 1 c. à thé
sucre décoratif (à gros cristaux)
60 ml (1/4 tasse)

Biscottis à la citrouille

PRÉPARATION 20 MINUTES — **CUISSON** 1 HEURE 5 MINUTES — 42 BISCOTTIS

Placer une grille au centre du four. Préchauffer le four à 150 °C (300 °F). Tapisser une plaque à pâtisserie de papier sulfurisé (parchemin).

—**1** Dans un grand bol, mélanger la farine, le sucre, les graines de citrouille, les épices, la poudre à lever et le sel.

—**2** Dans un autre bol, fouetter les œufs avec la purée de citrouille, le beurre et la vanille. Verser sur les ingrédients secs et remuer pour mélanger.

—**3** Mettre la pâte sur une surface légèrement farinée et la façonner en deux longs rouleaux plats d'environ 5 cm (2 po) de largeur et 1,25 cm (1/2 po) d'épaisseur (la pâte va lever en cuisant). Parsemer le dessus des rouleaux du sucre décoratif, en pressant délicatement pour le faire adhérer. Cuire au four 30 minutes ou jusqu'à ce que le dessus des rouleaux soit ferme au toucher.

—**4** Retirer du four et laisser refroidir 5 minutes.

Réduire la température du four à 135 °C (275 °F).

—**5** À l'aide d'un couteau dentelé, couper les rouleaux de pâte en tranches de 1 cm (1/2 po) d'épaisseur. Déposer les tranches sur la plaque et poursuivre la cuisson 35 minutes. Laisser refroidir complètement sur une grille.

farine tout usage 260 g
(2 tasses)
bicarbonate de soude 1 c. à thé
sel 1/2 c. à thé
beurre non salé 125 g (1/2 tasse),
à température ambiante
cassonade 210 g (1 tasse),
légèrement tassée
œuf 1
jaune d'œuf 1
beurre d'amande ou beurre
d'arachide naturel 250 ml
(1 tasse)
extrait de vanille 1 c. à thé

Biscuits aux amandes et au beurre

PRÉPARATION 20 MINUTES — **CUISSON** 7 MINUTES PAR FOURNÉE — 48 BISCUITS

Placer une grille au centre du four. Préchauffer le four à 175 °C (350 °F).

— **1** Dans un bol de grosseur moyenne, mélanger la farine, le bicarbonate de soude et le sel.

— **2** Dans un grand bol, à l'aide d'une cuillère en bois ou d'un batteur électrique, mélanger le beurre avec la cassonade jusqu'à ce que la préparation soit crémeuse, environ 1 minute. Ajouter l'œuf, le jaune d'œuf, le beurre d'amande et la vanille en battant. À l'aide d'une cuillère en bois, incorporer graduellement les ingrédients secs jusqu'à ce que la pâte soit homogène, sans plus.

— **3** Prélever environ 1 c. à soupe de pâte, la façonner en boule et la déposer sur une plaque à pâtisserie. Répéter avec le reste de la pâte en espaçant les boules de 5 cm (2 po). Presser chaque boule avec une fourchette passée dans du sucre de manière à former un motif croisé.

— **4** Cuire au four 7 ou 8 minutes. Déposer la plaque sur une grille et laisser tiédir 2 minutes – les biscuits n'auront pas l'air assez cuits, mais ils continueront à cuire sur la plaque. Déposer les biscuits sur la grille et les laisser refroidir complètement.

— **5** Laisser refroidir complètement la plaque avant d'y déposer la fournée suivante ou utiliser une autre plaque. Répéter avec le reste de la pâte.

PLUS

Les biscuits préparés avec le beurre d'amande ont tendance à craquer sur le pourtour pendant la cuisson. Pour éviter cela, faire cuire les boules de pâte 3 minutes. Les aplatir à la fourchette et poursuivre la cuisson tel qu'indiqué.

farine tout usage 300 g
(2 1/4 tasses)
bicarbonate de soude 1 c. à thé
sel 1/2 c. à thé
beurre non salé 250 g (1 tasse),
à température ambiante
cassonade 210 g (1 tasse),
légèrement tassée
œuf 1
extrait de vanille 1 1/2 c. à thé
brisures de chocolat ou
chocolat noir, grossièrement
haché 500 ml (2 tasses)

Biscuits aux brisures de chocolat

PRÉPARATION 20 MINUTES — **CUISSON** 8 MINUTES PAR FOURNÉE — 72 BISCUITS

Placer une grille au centre du four. Préchauffer le four à 175 °C (350 °F). Vaporiser légèrement d'huile une plaque à pâtisserie.

— 1 Dans un bol de grosseur moyenne, mélanger à la fourchette la farine avec le bicarbonate de soude et le sel.

— 2 Dans un grand bol, à l'aide d'une cuillère en bois ou d'un batteur électrique réglé à vitesse moyenne, mélanger le beurre avec la cassonade jusqu'à ce que la préparation soit crémeuse, environ 1 minute. Ajouter l'œuf et la vanille en battant. À l'aide d'une cuillère en bois, incorporer graduellement les ingrédients secs jusqu'à ce que la pâte soit homogène, sans plus. Ajouter les brisures de chocolat et mélanger. À cette étape, on peut façonner la pâte en un disque épais et bien l'envelopper de pellicule de plastique. Elle se conserve 2 semaines au réfrigérateur ou 1 mois au congélateur.

— 3 Prélever environ 1 c. à soupe de pâte et la déposer sur la plaque à pâtisserie. Répéter avec le reste de la pâte, en espaçant les biscuits d'au moins 5 cm (2 po) – ne pas presser les biscuits, ils s'étaleront en cuisant.

— 4 Cuire au four jusqu'à ce que le pourtour des biscuits soit doré, de 8 à 10 minutes. Déposer la plaque sur une surface à l'épreuve de la chaleur et laisser tiédir 2 minutes. Déposer les biscuits sur une grille et les laisser refroidir complètement.

— 5 Laisser refroidir complètement la plaque avant d'y déposer une autre fournée ou utiliser une autre plaque. Répéter avec le reste de la pâte.

— VARIANTES

• Ajouter des pacanes ou des amandes non mondées hachées en même temps que les brisures de chocolat.
• Remplacer les brisures de chocolat par des canneberges séchées.

— Sucreries
et friandises

graines de citrouille écalées
125 ml (1/2 tasse)
amandes 125 ml (1/2 tasse),
en tranches
eau 80 ml (1/3 tasse)
sucre 150 g (3/4 tasse)
sirop de maïs 80 ml (1/3 tasse)
beurre fondu 2 c. à thé
extrait de vanille 1 1/2 c. à thé
bicarbonate de soude
1 1/2 c. à thé
fleur de sel 3/4 c. à thé

Éclats de caramel aux amandes et aux graines de citrouille

PRÉPARATION 20 MINUTES — **CUISSON** 45 MINUTES — **ATTENTE** 1 HEURE — 1 PLAQUETTE DE CARAMEL D'ENVIRON 375 G

Préchauffer le four à 160 °C (325 °F). Tapisser une plaque de papier sulfurisé (parchemin).
— **1** Déposer les graines de citrouille sur une plaque de cuisson et les amandes sur une autre (non tapissées de papier sulfurisé). Les cuire au four environ 10 minutes, jusqu'à ce qu'elles soient dorées.
— **2** Entre-temps, dans une casserole à fond épais, sur feu moyen, chauffer l'eau, le sucre et le sirop de maïs jusqu'à ce que le sucre soit dissous, en remuant de temps à autre à l'aide d'une spatule en silicone, environ 10 minutes. Cesser de remuer dès l'ébullition et fixer un thermomètre à bonbons à la casserole en l'empêchant de toucher le fond ou la paroi. Cuire jusqu'à ce que la température atteigne 140 °C (285 °F), environ 20 minutes.
— **3** Ajouter les graines de citrouille et les amandes rapidement et remuer délicatement avec une cuillère en bois, sans arrêt, jusqu'à ce que la température atteigne 150 °C (300 °F), environ 5 minutes. Retirer du feu et ajouter le beurre, la vanille, le bicarbonate de soude et la fleur de sel. Mélanger énergiquement à la cuillère en bois jusqu'à ce que la texture devienne mousseuse.
— **4** Verser aussitôt sur la plaque de cuisson recouverte de papier sulfurisé et étendre rapidement en formant une couche la plus fine possible avec le dos de la cuillère en bois. Couvrir avec une autre feuille de papier sulfurisé et aplatir le caramel en pressant avec les mains recouvertes de mitaines de four (attention, le caramel est très chaud).
— **5** Laisser refroidir à température ambiante environ 1 heure. Briser le caramel en morceaux. Ce caramel se conserve jusqu'à 2 semaines dans un contenant hermétique.

— **VARIANTES**
• Tremper les éclats de caramel dans du chocolat de couverture.
• Remplacer le mélange d'amandes et de graines de citrouille par des arachides, ou utiliser une seule variété de noix (amandes ou demi-pacanes) ou uniquement des graines de citrouille. Si on fait un caramel aux graines de citrouille seulement, on peut passer un coup de rouleau à pâtisserie par-dessus le papier sulfurisé, une fois le mélange étendu à l'aide du dos de la cuillère (étape 4). Le caramel sera plus mince et encore plus craquant. Avec des noix plus grosses, comme des amandes entières, cela ne fonctionnera pas.

glucose ou sirop de maïs 180 ml (3/4 tasse)

sucre 260 g (1 1/4 tasse)

bicarbonate de soude 4 c. à thé, tamisé

chocolat noir de couverture Valrhona Grand cru Manjari 64 % ou autre

Tire-éponge chocolatée

PRÉPARATION 15 MINUTES — **CUISSON** 5 MINUTES — **ATTENTE** 1 HEURE 30 MINUTES — 8 PORTIONS ENVIRON

Tapisser de papier sulfurisé (parchemin) un moule carré de 23 cm (9 po) de côté.

— **1** Dans une très grande casserole (2 à 3 litres / 8 à 12 tasses) à fond épais, verser le glucose. Ajouter le sucre et mélanger. Sur feu moyen-vif, porter à ébullition. Placer un thermomètre à bonbons dans la préparation en évitant qu'il touche le fond de la casserole. Laisser bouillir, sans remuer, de 5 à 10 minutes ou jusqu'à ce que la température atteigne 150 °C (300 °F).

— **2** Retirer du feu. La préparation devrait bouillonner et être à peine dorée. Ajouter rapidement le bicarbonate de soude et mélanger au fouet afin d'éviter la formation de grumeaux. Le mélange quadruplera de volume.

— **3** Verser rapidement dans le moule. Laisser refroidir à température ambiante environ 1 heure 30 minutes.

— **4** Défaire la tire-éponge en petits morceaux. Faire fondre le chocolat. À l'aide d'une fourchette, tremper complètement ou à moitié les morceaux de tire-éponge dans le chocolat fondu. Laisser prendre sur du papier sulfurisé (parchemin) ou ciré.

Recette de Chloé Gervais-Fredette, de la chocolaterie Les chocolats de Chloé (Montréal).

oranges de la Floride à chair épaisse 4 grosses
sucre 840 g (4 tasses)
eau 7,125 litres (28 1/2 tasses)
citron 1, le jus
gousse de vanille 1, coupée en deux sur la longueur et égrenée
sirop de maïs 60 ml (1/4 tasse)
chocolat Cacao Barry Cuba 70 % ou Guayaquil 64 % 250 g, en morceaux

Orangettes

PRÉPARATION 30 MINUTES — **CUISSON** 3 HEURES — **ATTENTE** ENVIRON 36 HEURES — 60 À 75 ORANGETTES

— **1** À l'aide d'un couteau bien aiguisé, couper la base et le dessus de chaque orange. La poser ensuite sur sa base et couper de larges morceaux de pelure en prélevant en même temps une partie égale de chair. Couper chaque morceau en lanières d'environ 1 cm (1/2 po) de large, soit 0,5 cm (1/4 po) d'écorce et 0,5 cm (1/4 po) de chair.

— **2** Dans une grande casserole, sur feu vif, porter 6 litres (24 tasses) d'eau à ébullition. Y plonger les écorces d'orange. Laisser reprendre l'ébullition et faire bouillir 2 minutes. Retirer les écorces de l'eau à l'aide d'une écumoire et les déposer dans une passoire. Ne pas jeter l'eau bouillante.

— **3** Rincer les morceaux d'orange sous l'eau froide. Remettre dans l'eau chaude. Rincer de nouveau. Répéter ces opérations une autre fois, de façon que les écorces soient ébouillantées et rincées trois fois au total.

— **4** Dans une très grande casserole, plus large que haute si possible, mettre le sucre, 1,125 litre (4 1/2 tasses) d'eau, le jus de citron et la gousse de vanille. Porter à ébullition. Ajouter les écorces, couvrir et laisser mijoter sur feu doux 2 heures. Ajouter le sirop de maïs et laisser mijoter 1 heure à découvert. Au bout de ce temps, les oranges devraient être complètement confites et translucides.

— **5** Couvrir, retirer du feu et laisser macérer toute la nuit à température ambiante. (À cette étape, il est possible de mettre les écorces et leur sirop dans un bocal en verre hermétiquement fermé. Elles se garderont jusqu'à 3 semaines au réfrigérateur.)

— **6** Étendre les oranges confites sur une grille et les laisser sécher à température ambiante toute une journée.

— **7** Quand les écorces sont sèches à l'extérieur et juteuses à l'intérieur, faire fondre le chocolat au bain-marie. Prendre délicatement chaque écorce entre le pouce et l'index et la tremper dans le chocolat, idéalement à 32 °C (90 °F). Laisser apparente la partie de l'orange tenue par les doigts pour une plus belle présentation.

— **8** Poser sur du papier sulfurisé (parchemin) et laisser figer complètement, 1 heure, à température ambiante.

Recette d'Hélène Arseneau, de la Pâtisserie-chocolaterie Hélène des Îles (Îles de la Madeleine).

crème 35 % 250 ml (1 tasse)
cassonade dorée 100 g
(1/2 tasse), tassée
cassonade foncée 100 g
(1/2 tasse), tassée
sucre 210 g (1 tasse)
sirop d'érable 125 ml (1/2 tasse)
sel 1 pincée
extrait de vanille 3/4 c. à thé
noix de Grenoble 125 à 180 ml
(1/2 à 3/4 tasse), entières, grillées
(voir technique p. 21) (facultatif)

Sucre à la crème à l'érable

PRÉPARATION 15 MINUTES — **CUISSON** 30 MINUTES — **ATTENTE** 2 HEURES — 64 CARRÉS

Tapisser un moule carré de 20 cm (8 po) de papier sulfurisé (parchemin) en le laissant dépasser sur deux côtés et beurrer les deux autres côtés du moule.

— 1 Dans une casserole à fond épais, mélanger la crème, les cassonades, le sucre, le sirop d'érable et le sel. Porter à ébullition sur feu moyen, en remuant délicatement à l'aide d'une spatule en silicone souple pour dissoudre le sucre et en évitant les éclaboussures. Nettoyer au besoin les parois de la casserole avec un pinceau mouillé pour enlever toute trace de sucre. Fixer un thermomètre à bonbons au centre de la casserole en l'empêchant de toucher le fond ou la paroi. Laisser mijoter sur feu moyen sans remuer jusqu'à ce que le thermomètre indique 117 °C (243 °F). Pour un sucre à la crème moins ferme, laisser mijoter jusqu'à 114 °C (237 °F).

— 2 Déposer la casserole dans un bain d'eau glacée (dans l'évier) en conservant le thermomètre fixé au centre de la casserole. Ajouter l'extrait de vanille sans remuer. Laisser tiédir, sans remuer, jusqu'à ce que le thermomètre indique entre 50 °C (122 °F) et 45 °C (113 °F), de 30 à 40 minutes environ.

— 3 Retirer la casserole de l'eau. Verser le mélange dans le grand bol d'un batteur sur socle (un batteur à main ne suffira pas à la tâche) en raclant la casserole et le bol avec une spatule rigide. Battre à vitesse maximale jusqu'à ce que le mélange commence à pâlir, à perdre de son lustre et à épaissir, mais tout en restant assez souple, de 5 à 10 minutes environ – bien surveiller la texture et cesser de battre dès que le mélange perd son lustre, sinon il sera grumeleux.

— 4 Si on utilise des noix, les incorporer rapidement à la préparation avec une spatule. Verser immédiatement le mélange dans le moule et étendre à la spatule. Couvrir d'une pellicule de plastique et presser pour égaliser la surface au besoin. Laisser refroidir environ 1 heure 30 minutes au réfrigérateur. Démouler en utilisant les côtés excédentaires du papier sulfurisé et retirer la pellicule de plastique et le papier sulfurisé. Couper en carrés et conserver dans un contenant hermétique. Ce sucre à la crème se conserve environ 1 semaine au réfrigérateur. Il se congèle bien. En séparer les étages avec du papier sulfurisé.

— VARIANTES

- Sucre à la crème traditionnel : Remplacer le sirop d'érable par une quantité équivalente de cassonade. On utilisera donc au total 300 g (1 1/2 tasse) de cassonade.
- Carrés épais : Pour des carrés plus épais, utiliser un moule plus petit ou, si on emploie un moule carré de 20 cm (8 po), augmenter les ingrédients de la façon suivante. Crème 35 % : 375 ml (1 1/2 tasse). Cassonade : 300 g (1 1/2 tasse) au total. Sucre : 315 g (1 1/2 tasse). Sirop d'érable : 180 ml (3/4 tasse). Sel : 1 pincée. Extrait de vanille : 1 c. à thé. Il faudra également prévoir une grande casserole d'au moins 2,5 litres (10 tasses) et utiliser toujours un batteur puissant. Prévoir des temps de cuisson, de battage et de refroidissement un peu plus longs.
- Pour un petit goût épicé, ajouter une pincée de cari au sucre à la crème.

pistaches entières 125 ml
(1/2 tasse)
chocolat mi-sucré 450 g,
finement haché
extrait de vanille 2 c. à thé
sel une pincée
lait concentré sucré
(Eagle Brand) 1 boîte (300 ml)
canneberges séchées
80 ml (1/3 tasse), grossièrement
hachées

Fudge aux pistaches et aux canneberges

PRÉPARATION 20 MINUTES — **CUISSON** 15 MINUTES — **ATTENTE** 3 HEURES 45 MINUTES — 64 CARRÉS

Placer une grille au centre du four. Préchauffer le four à 140 °C (285 °F). Tapisser un moule carré de 20 cm (8 po) de papier sulfurisé (parchemin) en le laissant dépasser sur deux côtés et beurrer les deux autres côtés du moule.

— 1 Déposer les pistaches sur une plaque et cuire au four 10 minutes – retourner à mi-cuisson. Laisser tiédir et hacher grossièrement. Déposer le chocolat haché, la vanille et le sel dans le grand bol d'un batteur sur socle. Réserver.

— 2 Dans une casserole à fond épais, chauffer le lait concentré sur feu moyen, en remuant. Retirer la casserole du feu lorsque le lait commence à bouillir et verser sur le chocolat haché. Laisser reposer 1 minute sans remuer. À l'aide d'une cuillère en bois, mélanger jusqu'à ce que le chocolat soit complètement fondu. Laisser tiédir 5 minutes.

— 3 Fouetter le mélange au batteur sur socle jusqu'à ce qu'il devienne épais mais soit encore souple, environ 3 minutes. Incorporer les pistaches et les canneberges à l'aide d'une cuillère en bois. Verser immédiatement dans le moule et étendre à la spatule. Couvrir d'une pellicule de plastique et presser pour égaliser la surface. Laisser tiédir environ 45 minutes à température ambiante, puis réfrigérer jusqu'à ce que le fudge durcisse, environ 3 heures. Démouler en utilisant les côtés excédentaires du papier sulfurisé, et retirer la pellicule de plastique et le papier sulfurisé. Couper en carrés de 2,5 cm (1 po) et conserver dans un contenant hermétique. Le fudge se conserve environ 1 semaine au réfrigérateur. Il se congèle bien. En séparer les étages avec du papier sulfurisé.

— VARIANTES

• On peut préparer ces carrés en omettant les pistaches et les canneberges, ou en utilisant d'autres noix (pacanes, noix de Grenoble, etc.).

• On peut remplacer les canneberges par des cerises séchées.

biscuits Graham 80 ml (3/4 tasse), grossièrement émiettés
crème 35 % 250 ml (1 tasse)
fromage à la crème 1/2 paquet de 250 g, à température ambiante
miel 60 ml (1/4 tasse)
jus de lime 1 c. à soupe
cerises fraîches 500 ml (2 tasses), dénoyautées et hachées

Popsicles gâteau au fromage aux cerises

PRÉPARATION 25 MINUTES — **ATTENTE** 3 HEURES 30 MINUTES — 12 PORTIONS

—**1** Sur une plaque à pâtisserie, déposer 12 gobelets en carton d'environ 80 ml (1/3 tasse). Déposer 1/2 c. à thé de miettes de biscuit Graham au fond de chacun.

—**2** Dans un bol de grandeur moyenne, fouetter la crème à l'aide d'un batteur électrique réglé à vitesse élevée jusqu'à ce qu'elle forme des pics mous quand on soulève les fouets, environ 2 minutes. Réserver.

—**3** En utilisant les mêmes fouets (inutile de les laver), dans un autre bol de grandeur moyenne, battre le fromage à la crème jusqu'à l'obtention d'une texture légère, environ 4 minutes. Ajouter le miel graduellement et battre jusqu'à ce que la préparation soit lisse. Incorporer le jus de lime et les cerises. Ajouter la crème fouettée et le reste des miettes de biscuit en pliant délicatement jusqu'à la formation de spirales dans le mélange.

—**4** Remplir les gobelets de la préparation jusqu'au bord. Insérer un bâtonnet de bois dans chacun. Mettre au congélateur jusqu'à ce que les popsicles soient fermes, environ 3 heures 30 minutes. Pour retirer les popsicles des gobelets, les pousser doucement à partir du fond.

sucre 150 g (3/4 tasse)
sirop de maïs 80 ml (1/3 tasse)
eau froide 60 ml (1/4 tasse)
sel 1/8 c. à thé
extrait de vanille 1/2 c. à thé
eau chaude 60 ml (1/4 tasse)
gélatine sans saveur 2 sachets
de 7 g
sucre glace 30 g (1/4 tasse)
fécule de maïs 1 c. à thé

Guimauves à la vanille

PRÉPARATION 25 MINUTES — **CUISSON** 3 MINUTES — **ATTENTE** 2 HEURES — 64 GUIMAUVES

Tapisser de pellicule plastique un moule carré de 20 cm (8 po) en la laissant dépasser sur les côtés. Vaporiser légèrement la pellicule d'un enduit antiadhésif.

—**1** Dans une petite casserole, mélanger le sucre, le sirop de maïs, l'eau froide et le sel. Amener à ébullition sur feu vif et laisser bouillir 1 minute sans remuer. Incorporer la vanille.

—**2** Dans le bol d'un batteur électrique sur socle muni d'un fouet, verser l'eau chaude et y saupoudrer la gélatine. Laisser imbiber 2 minutes. En fouettant à vitesse élevée, incorporer le sirop chaud en le versant en filet sur la paroi du bol. Fouetter jusqu'à ce que la préparation soit épaisse et collante et forme des pics blancs fermes, environ 4 minutes.

—**3** Verser la préparation dans le moule et bien lisser le dessus avec une spatule huilée. Laisser reposer au moins 2 heures à température ambiante.

—**4** Dans un petit bol, mélanger au fouet le sucre glace et la fécule de maïs. Tamiser le tiers de ce mélange sur le dessus de la guimauve pour en saupoudrer toute la surface. Retourner le moule sur une planche à découper. Démouler et retirer la pellicule de plastique. Tamiser la moitié du reste du mélange de sucre glace sur la guimauve en saupoudrant le dessous. Couper en cubes d'environ 2,5 cm (1 po). Passer chaque guimauve dans le reste du mélange de sucre glace. Laisser à l'air libre pendant 24 heures, puis ranger dans un contenant hermétique. La guimauve se conserve une semaine.

— VARIANTES

Omettre la vanille dans toutes les variantes.

• Guimauves parfumées : Ajouter 1/2 c. à thé d'extrait d'amande, d'érable, d'orange ou de citron.

• Guimauves à la cannelle et au piment de Cayenne : Incorporer 1/2 c. à thé de cannelle et 1/8 c. à thé de piment de Cayenne à l'eau chaude avant d'ajouter la gélatine.

• Guimauves au café : Incorporer 2 c. à soupe de café expresso à l'eau chaude avant d'ajouter la gélatine.

• Guimauves roses à l'amande : Incorporer 5 gouttes de colorant alimentaire rouge et 1/4 c. à thé d'extrait d'amande à la préparation après avoir incorporé le sirop chaud, 1 minute avant d'avoir fini de fouetter.

— IDÉES DESSERTS

• Cupcakes à la guimauve : Mettre une guimauve sur le dessus d'un cupcake et chauffer au four préchauffé à 175 °C (350 °F) jusqu'à ce que la guimauve ramollisse, de 3 à 5 minutes. Retirer du four et écraser délicatement la guimauve sur le gâteau.

• Fudge fondant : Tapisser de pellicule de plastique un moule de 23 cm x 13 cm (9 po x 5 po) en la laissant dépasser. Dans un bol, mettre 170 g de chocolat mi-sucré haché et 80 ml (1/3 tasse) de lait concentré sucré (Eagle Brand). Chauffer à intensité moyenne 2 minutes. Remuer jusqu'à ce que le chocolat soit fondu, puis incorporer 180 ml (2/3 tasse) de noix grossièrement hachées et 125 ml (1/2 tasse) de guimauves hachées. Verser dans le moule et lisser le dessus. Couvrir de pellicule de plastique et réfrigérer au moins 2 heures. Couper en cubes.

beurre non salé 60 g (1/4 tasse)
miel 60 ml (1/4 tasse)
dattes 180 ml (3/4 tasse), hachées
extrait de vanille 1/2 c. à thé
pacanes 50 g (1/2 tasse), hachées
riz soufflé 430 ml (1 3/4 tasse)

ENROBAGE
chocolat noir 225 g, haché
noix de coco râpée, non sucrée
ou poudre de cacao 250 ml
(1 tasse)

Boules de riz soufflé aux dattes

PRÉPARATION 25 MINUTES — **CUISSON** 7 MINUTES — **ATTENTE** 25 MINUTES — 32 BOULES

— 1 Dans une casserole de grosseur moyenne, sur feu moyen, faire fondre le beurre et le miel. Ajouter les dattes et laisser mijoter 3 minutes. Retirer du feu et incorporer la vanille, les pacanes et le riz soufflé. Mettre le mélange au congélateur environ 10 minutes. Prélever 1 c. à soupe de pâte et former une boule de 2,5 cm (1 po) de diamètre. Répéter avec le reste de la pâte.

— 2 Pour la préparation de l'enrobage : Au micro-ondes, à intensité moyenne, faire fondre le chocolat 2 ou 3 minutes – remuer à mi-cuisson. Remuer jusqu'à ce que le chocolat soit fondu. Dans un bol, mettre la noix de coco. En tenant chaque boule avec deux fourchettes, enrober de chocolat, puis de noix de coco ou de poudre de cacao, si désiré. Réfrigérer jusqu'à ce que le chocolat durcisse, environ 15 minutes. Ces boules se conservent 1 semaine au frais dans un contenant hermétique.

MACARONS AUX NOIX DE CAJOU

noix de cajou rôties non salées 250 ml (1 tasse)

blancs d'œufs 4, à température ambiante (environ 125 ml – 1/2 tasse)

crème de tartre 1/2 c. à thé

extrait de vanille 1/2 c. à thé

colorant alimentaire rouge ou vert 8 gouttes

sucre 150 g (3/4 tasse)

farine tout usage 35 g (1/4 tasse)

CRÈME AU BEURRE

beurre non salé 60 g (1/4 tasse), à température ambiante

sucre glace 90 g (3/4 tasse)

amaretto (liqueur d'amande) 2 c. à thé

Macarons aux noix de cajou et à la crème au beurre

PRÉPARATION 30 MINUTES — **CUISSON** 40 MINUTES — 35 MACARONS

Placer une grille au centre du four et l'autre dans la partie inférieure. Préchauffer le four à 120 °C (250 °F). Tapisser deux plaques à pâtisserie de papier sulfurisé (parchemin). Fixer une douille ronde (n° 5) sur une grande poche à pâtisserie.

— 1 Pour la préparation des macarons aux noix de cajou : Au robot culinaire, moudre finement les noix de cajou. Réserver. Dans un grand bol, à l'aide d'un batteur électrique réglé à vitesse moyenne, mélanger les blancs d'œufs avec la crème de tartre et la vanille jusqu'à ce qu'ils forment des pics souples quand on soulève les fouets, 1 ou 2 minutes. Incorporer le colorant alimentaire, puis le sucre, 1 c. à soupe à la fois, en battant. (Pour les macarons marbrés, ne pas ajouter de colorant alimentaire à cette étape.) Augmenter la vitesse à moyenne-élevée et battre jusqu'à ce que les blancs d'œufs soient fermes et brillants quand on soulève les fouets, 2 ou 3 minutes. Dans un petit bol, mélanger la farine et 125 ml (1/2 tasse) des noix de cajou moulues. Incorporer ce mélange aux blancs d'œufs en pliant à la spatule.

— 2 Remplir la poche à pâtisserie de la préparation et former des cercles de 4 cm (1 1/2 po) sur les plaques, en les espaçant d'environ 1 cm (1/2 po) – ils s'étaleront en cuisant. (Pour les macarons marbrés, à l'aide d'un pinceau, dessiner trois triangles avec le colorant alimentaire rouge.) Déposer les plaques au four, une sur chaque grille, et cuire de 40 à 50 minutes ou jusqu'à ce que les macarons soient fermes mais non dorés – intervertir les plaques à mi-cuisson. Laisser tiédir sur les plaques 10 minutes, puis déposer les macarons sur une grille et les laisser refroidir complètement.

— 3 Pour la préparation de la crème au beurre : Dans un bol de grosseur moyenne, à l'aide d'un batteur électrique, mélanger le beurre avec le sucre glace et l'amaretto jusqu'à ce que la préparation soit pâle et lisse. Retourner tous les macarons à l'envers et étendre environ 1/4 c. à thé de la crème au beurre sur chacun. Étaler le reste des noix de cajou moulues en une fine couche dans une assiette. Presser la moitié des macarons, côté garni de crème au beurre, dans les noix de cajou, puis les couvrir du reste des macarons. Ces macarons se conservent 2 jours à température ambiante ou 1 mois au congélateur dans un contenant hermétique.

— Les bonnes bases

La pâte à tarte

Pâte brisée au beurre

Un grand classique, facile à réaliser et qui peut être utilisé dans une multitude de recettes sucrées ou salées.

MÉTHODE TRADITIONNELLE. Dans un grand bol, mélanger 300 g (2 1/4 tasses) de farine tout usage non blanchie, 1 c. à thé de sucre et 1/2 c. à thé de sel. Ajouter 250 g (1 tasse) de beurre non salé froid coupé en cubes, en travaillant la préparation avec un coupe-pâte ou deux couteaux jusqu'à ce qu'elle ait la consistance d'une chapelure grossière. Dans un petit bol, mélanger 1 c. à soupe de vinaigre ou de jus de citron avec 4 c. à soupe d'eau glacée. À la fourchette, incorporer ce mélange à la farine jusqu'à ce que la pâte se tienne assez pour former une boule. Au besoin, ajouter de l'eau, 1 c. à soupe à la fois. La pâte ne doit pas être collante.

MÉTHODE AU ROBOT CULINAIRE. Dans le récipient d'un robot culinaire, mélanger 300 g (2 1/4 tasses) de farine tout usage non blanchie, 1 c. à thé de sucre et 1/2 c. à thé de sel. Ajouter 250 g (1 tasse) de beurre non salé froid coupé en cubes et actionner l'appareil par touches successives jusqu'à ce que la préparation ait la consistance d'une chapelure. Dans un petit bol, mélanger 1 c. à soupe de vinaigre ou de jus de citron avec 4 c. à soupe d'eau glacée. Pendant que le robot culinaire est en marche, intégrer lentement ce mélange à la farine en versant en un mince filet. Actionner jusqu'à ce que la pâte commence à se tenir et à former une boule. Ajouter jusqu'à 2 c. à soupe d'eau glacée de plus au besoin, 1 c. à soupe à la fois. Cesser dès que la pâte commence à se former. Éviter de trop mélanger (la pâte doit se tenir lorsqu'on la presse dans une main, mais ne doit pas être collante).

Dans les deux cas, diviser la pâte en deux et la façonner en deux disques. Envelopper chacun d'une pellicule de plastique et presser de façon à former des disques de 2 cm (3/4 po) d'épaisseur. Réfrigérer jusqu'à ce que la pâte soit ferme, au moins 1 heure ou jusqu'au lendemain. Cette pâte peut se conserver jusqu'à 3 jours au réfrigérateur et 3 mois au congélateur. *Préparation : 10 minutes – Réfrigération : 1 heure – Donne 2 abaisses pour tarte de 23 cm (9 po) de diamètre.*

— VARIANTE

Pour faire des tartelettes, abaisser le disque de pâte à 0,5 cm (1/4 po) d'épaisseur. À l'aide d'un emporte-pièce rond de 10 cm (4 po) de diamètre, découper des cercles dans l'abaisse – réunir les retailles et abaisser la pâte de nouveau au besoin. Presser chaque cercle de pâte dans une cavité d'un moule à muffins. Poursuivre la recette.

— TRUC

Cuisson à blanc : Cette méthode de cuisson consiste à cuire la croûte non garnie, ce qui lui permet de rester plus feuilletée une fois cuite avec la garniture. Pour ce faire, préparer la croûte ou les croûtes à tartelettes tel qu'indiqué ci-dessus. Pour l'empêcher de boursoufler pendant la cuisson, tapisser la croûte d'un morceau de papier sulfurisé (parchemin) – il doit dépasser légèrement. Couvrir le papier de billes de cuisson en céramique ou de haricots secs. Déposer la croûte sur une plaque et cuire au four préchauffé à 200 °C (400 °F) pendant 10 minutes. Poursuivre la recette.

Les crèmes

Crème chantilly

La crème chantilly est une crème fouettée et sucrée née en Italie, où on l'appelait « neige de lait (*neve di latte*) ». Dans un bol, à l'aide d'un batteur électrique, fouetter 500 ml (2 tasses) de crème à fouetter 35 % avec 2 c. à soupe de sucre glace jusqu'à ce qu'elle forme des pics souples, de 3 à 5 minutes. Ajouter 1 c. à thé d'extrait de vanille. *Préparation : 5 minutes – Donne 750 ml (3 tasses).*

— VARIANTES

● On peut remplacer le sucre glace et l'extrait de vanille par du sucre vanillé (voir technique, p. 15).

● À la noisette : Dans un bol, fouetter 125 ml (1/2 tasse) de crème à fouetter 35 % jusqu'à ce qu'elle forme des pics fermes. Incorporer 2 c. à soupe de liqueur de noisette en battant.

● À l'orange : Dans un bol froid, fouetter 500 ml (2 tasses) de crème à fouetter 35 % avec 6 c. à soupe de sucre jusqu'à l'obtention de pics fermes, environ 2 ou 3 minutes. Incorporer 125 ml (1/2 tasse) de jus d'orange concentré surgelé, décongelé, et 2 c. à soupe de gingembre frais haché finement.

Crème anglaise

La crème anglaise, généralement servie en coulis, constitue aussi la base de la crème glacée. Dans un bain-marie, hors du feu, fouetter 6 jaunes d'œufs avec 45 g (1/3 tasse) de sucre jusqu'à ce que la préparation soit lisse. Verser graduellement 500 ml (2 tasses) de lait chaud en fouettant. Cuire sur feu doux, en remuant constamment avec une cuillère en bois, jusqu'à ce que la crème nappe le dos de la cuillère. Retirer du feu. Ajouter 1 c. à thé d'extrait de vanille. Laisser tiédir à température ambiante. Couvrir et réfrigérer jusqu'à ce que la crème anglaise soit froide, 2 heures. Elle se conserve 3 jours au réfrigérateur. *Préparation : 10 minutes – Cuisson : 15 minutes – Réfrigération : 2 heures – Donne 625 ml (2 1/2 tasses).*

— VARIANTES

● À la crème : Utiliser 375 ml (1 1/2 tasse) de lait et 125 ml (1/2 tasse) de crème à cuisson 35 %. Ajouter la crème une fois que tout le lait a été incorporé.

● Au chocolat : Ajouter 60 ml (1/4 tasse) de poudre de cacao tamisée et 1 c. à soupe de sucre au mélange d'œufs et de sucre.

● Au micro-ondes : Mélanger les jaunes d'œufs et le sucre. Faire chauffer le lait et la vanille au micro-ondes. Verser sur le mélange d'œufs et bien mélanger. Remettre au micro-ondes 2 ou 3 minutes – remuer à mi-cuisson.

Crème pâtissière

La crème pâtissière est l'ingrédient clé des choux à la crème, des éclairs au chocolat et des millefeuilles. Elle vole aussi la vedette dans les tartes aux fruits à la française. Dans une grande casserole, sur feu moyen, fouetter 3 jaunes d'œufs et 1 œuf avec 250 ml (1 tasse) de lait 2 %, 180 ml (3/4 tasse) de crème à cuisson 35 %, 100 g (1/2 tasse) de sucre et 2 c. à soupe de fécule de maïs. Cuire en fouettant jusqu'à ce que la préparation épaississe, de 7 à 10 minutes. Ajouter 2 c. à thé d'extrait de vanille en fouettant. Verser la crème pâtissière dans un bol de grosseur moyenne et couvrir directement sa surface d'une pellicule de plastique pour empêcher la formation d'une peau. Laisser refroidir et réfrigérer. *Préparation : 40 minutes – Cuisson : 20 minutes – Donne 500 ml (2 tasses).*

Le chocolat

Ganache

La ganache est une épaisse sauce au chocolat noir qu'on utilise dans la cuisine française en guise de glace à gâteau et de garniture à pâtisserie. Cette petite merveille devrait son nom à l'étourderie d'un apprenti chocolatier qui, après avoir versé par erreur de la crème bouillante sur du chocolat, se fit traiter de *ganache* (abruti) par son maître. Le plus abruti n'est pas toujours celui qu'on croit ! Déposer 225 g de chocolat noir 70 % haché finement dans un bol de grosseur moyenne. Dans une petite casserole, sur feu moyen, chauffer 250 ml (1 tasse) de crème à fouetter 35 % jusqu'à ce qu'elle soit presque bouillante. La verser aussitôt sur le chocolat et remuer jusqu'à ce qu'il soit fondu et lisse, 3 ou 4 minutes. Mélanger à l'aide d'un fouet et utiliser immédiatement ou laisser refroidir à température ambiante. La ganache se conserve

1 semaine au réfrigérateur. *Préparation : 10 minutes – Cuisson : 5 minutes – Donne 410 ml (1 2/3 tasse).*

— **TRUC**

Il est plus facile de hacher le chocolat en utilisant un couteau dentelé.

— **VARIANTES**

- Ganache au café : Incorporer 80 ml (1/3 tasse) de liqueur de café à la ganache.
- Ganache au beurre d'arachide : Incorporer 80 ml (1/3 tasse) de beurre d'arachide crémeux à température ambiante à la ganache.
- Ganache au chocolat blanc : Remplacer le chocolat noir par 335 g de chocolat blanc et incorporer 1/2 c. à thé de zeste de citron à la ganache.
- Ganache au caramel croquant : Incorporer 310 ml (1 1/4 tasse) de miettes de caramel croquant à la ganache.

— **IDÉES DESSERT**

- Fondue au chocolat : Chauffer la ganache (ou une variante) au micro-ondes ou au bain-marie. Servir avec des petits fruits frais, des cubes d'ananas, des tranches de banane et des guimauves.
- Chocolat chaud mexicain : Mélanger 5 c. à soupe de ganache et 1 pincée de piment de Cayenne avec 250 ml (1 tasse) de lait chaud. Garnir de crème fouettée.
- Glaçage facile : Étendre la ganache (ou une variante) à température ambiante sur un gâteau au fromage, des brownies ou un gâteau blanc.
- Truffes : Doubler la quantité de chocolat de la recette originale de ganache (en utiliser 450 g). Après avoir ajouté la crème à fouetter, remettre la casserole sur le feu moyen et remuer jusqu'à ce que le chocolat soit complètement fondu. Réfrigérer jusqu'à ce que la préparation soit ferme. Façonner en boules de 2,5 cm (1 po) de diamètre et réfrigérer jusqu'à ce qu'elles soient fermes. Rouler les truffes dans des flocons de noix de coco grillés ou un mélange composé à parts égales de poudre de cacao et de sucre glace tamisé.

Plaquettes de chocolat

Elles garniront de nombreux desserts. La technique est toute simple ! Préparer une grande feuille de papier sulfurisé (parchemin) ou ciré d'environ 20 cm x 25 cm (8 po x 10 po) et la déposer sur une plaque de cuisson. Faire fondre 115 g de chocolat noir ou mi-amer de qualité au bain-marie. À l'aide d'un pinceau à pâtisserie ou d'une petite spatule souple, étendre le chocolat en une mince couche uniforme d'environ 3 mm (1/8 po) sur la feuille de papier, en laissant une petite bordure tout le tour. Mettre au réfrigérateur environ

20 minutes, le temps que le chocolat durcisse. Sortir du réfrigérateur et retirer le papier avec précaution. Casser le chocolat en morceaux. Conserver à température ambiante dans un contenant hermétique. *Préparation : 30 minutes – Cuisson : 5 minutes.*

Glaçage au chocolat

Ce glaçage au chocolat de base convient à une foule de gâteaux : blanc, au chocolat, aux bananes, aux courgettes... Hacher 400 g de chocolat noir ou mi-amer de qualité et le déposer dans un bol. Dans une casserole, porter à ébullition 250 ml (1 tasse) de crème à cuisson 35 % et 60 ml (1/4 tasse) de sirop de maïs. Verser sur le chocolat et laisser reposer 3 minutes sans remuer. À l'aide d'un fouet, mélanger jusqu'à ce que le glaçage devienne lisse. Incorporer 60 g (1/4 tasse) de beurre non salé, ramolli. Couvrir et réfrigérer environ 1 heure ou jusqu'à ce que le glaçage soit ferme, mais tartinable. Au besoin, laisser à température ambiante jusqu'à l'obtention d'une belle consistance ou réchauffer légèrement au micro-ondes. *Préparation : 10 minutes – Cuisson : 3 minutes – Attente : 1 heure.*

Le caramel

Sauce au caramel salé

Le sucré et le salé forment ici une combinaison gagnante. Dans une petite casserole, sur feu moyen, faire fondre 60 g (1/4 tasse) de beurre non salé et ajouter 125 ml (1/2 tasse) de cassonade, tassée. Amener doucement à ébullition en fouettant de temps à autre. Laisser bouillir sur feu doux 3 minutes, puis incorporer 1 c. à thé de vanille et 1/2 c. à thé de gros sel ou sel kascher en remuant jusqu'à ce qu'il soit dissous. Retirer du feu et laisser reposer 1 minute. Incorporer 125 ml (1/2 tasse) de crème à cuisson en fouettant jusqu'à ce que la sauce soit lisse. Cette sauce se conserve jusqu'à 1 semaine dans un contenant hermétique au réfrigérateur. *Préparation : 5 minutes – Cuisson : 5 minutes – Donne 250 ml (1 tasse).*

— **VARIANTES**

Dans toutes les variantes, omettre la vanille.

• Sauce au caramel et au café : Remplacer le sel par 1/2 c. à thé de café instantané.

• Sauce au caramel épicé : Remplacer le sel par 1/2 c. à thé de cannelle et 1/4 c. à thé de muscade.

• Sauce au caramel et au rhum : Omettre le sel. Incorporer 1 c. à soupe de rhum ou de scotch à la sauce juste avant de servir.

• Sauce au caramel croquant : Ajouter 60 ml (1/4 tasse) de petits morceaux de caramel croquant à la sauce juste avant de servir.

Les fruits

Coulis de fraises

Quoi de mieux pour égayer gâteaux, crèmes glacées, crêpes et gaufres ? Au mélangeur, réduire en purée lisse 1 kg (2 1/4 lb) de fraises équeutées avec 100 g (1/2 tasse) de sucre et le jus de 1 citron. Passer au tamis.

— VARIANTE

Coulis de fraises au vinaigre balsamique : Mélanger les fraises avec le double de sucre (210 g / 1 tasse). Laisser macérer au réfrigérateur toute la nuit. Au mélangeur, réduire en une purée lisse. Ajouter du vinaigre balsamique, au goût, au lieu du jus de citron. Passer au tamis.

— TRUC

Congelé, le coulis de fraises se conserve pendant plusieurs mois. Le congeler dans de petits récipients. C'est pratique !

Tartinade au citron (*Lemon curd*)

Cette sauce onctueuse vient de Grande-Bretagne. On l'intégrera dans plusieurs desserts ou on en tartinera les biscuits sablés, le pain brioché et les scones, *of course* ! Dans une casserole de grosseur moyenne, à l'aide d'un batteur électrique réglé à vitesse maximale, battre 150 g (3/4 tasse) de sucre avec 80 g (1/3 tasse) de beurre non salé à température ambiante, 2 œufs + 3 jaunes d'œufs à température ambiante et 1/8 c. à thé de sel jusqu'à ce que le mélange soit crémeux, environ 1 minute. Ajouter 160 ml (2/3 tasse) de jus de citron en battant (le mélange peut tourner, mais redeviendra lisse en cuisant). Placer la casserole sur feu moyen-vif et cuire, en fouettant sans arrêt, de 3 à 5 minutes, ou jusqu'à ce que la tartinade soit lisse et épaisse et nappe le dos d'une cuillère. Servir la tartinade chaude ou la mettre dans des pots. Se conserve 5 jours au réfrigérateur. *Préparation : 10 minutes – Cuisson : 3 minutes – Donne 500 ml (2 tasses).*

— VARIANTES

- À la lime : Remplacer le jus de citron par du jus de lime.
- À la clémentine : Réduire la quantité de sucre à 100 g (1/2 tasse) et la quantité de jus de citron à 60 ml (1/4 tasse). Incorporer 125 ml (1/2 tasse) de jus de clémentine et 2 c. à thé de fécule de maïs au jus de citron. Cuire, en fouettant, jusqu'à ce que le mélange commence à mijoter, puis poursuivre la recette tel qu'indiqué.
- Au pamplemousse : Réduire la quantité de jus de citron à 60 ml (1/4 tasse). Incorporer 125 ml (1/2 tasse) de jus de pamplemousse et 2 c. à thé de fécule de maïs au jus de citron. Cuire, en fouettant, jusqu'à ce que le mélange commence à mijoter, puis poursuivre la recette tel qu'indiqué.

—IDÉES DESSERT

- Tartelettes aux agrumes : Cuire des croûtes à tartelettes surgelées selon les instructions sur l'emballage et les remplir de l'une ou l'autre des tartinades. Garnir d'une guimauve miniature.

Cuire au four préchauffé à 175 °C (350 °F) jusqu'à ce que les guimauves soient légèrement dorées, de 3 à 5 minutes.

• Crêpes au citron : Garnir des crêpes maison aux bleuets ou aux framboises de tartinade au citron.

• Parfait au yogourt : Mettre un peu de tartinade dans un petit bol. Couvrir d'une couche de yogourt et de granola.

• Crème à la lime : Incorporer de la tartinade à la lime à de la crème fouettée maison. Servir sur une tarte aux bleuets ou avec des scones ou du pain d'épices.

• Gelato au citron : Congeler la tartinade au citron jusqu'à ce qu'elle soit ferme.

Citron confit

Les tranches de citron confit servent aussi bien à décorer les cakes et les gâteaux qu'à jazzer les yogourts. Couper 1 citron en fines rondelles et les déposer dans une casserole d'eau bouillante, hors du feu. Les laisser tremper 1 minute puis les plonger dans de l'eau glacée pour les refroidir. Égoutter. Dans un grand poêlon, sur feu doux, préparer un sirop simple en faisant dissoudre 210 g (1 tasse) de sucre dans 250 ml (1 tasse) d'eau. Y déposer les rondelles en une seule couche. Faire pocher – ne pas laisser bouillir – environ 1 heure ou jusqu'à ce que les rondelles soient translucides. Les déposer sur une plaque de cuisson recouverte de papier sulfurisé (parchemin). Laisser refroidir. Les rondelles de citron confit se conserveront dans un pot hermétique à température ambiante environ 10 jours.

Chips de poire

Une idée déco originale et goûteuse ! Préchauffer le four à 100 °C (210 °F). Recouvrir une plaque de cuisson d'un tapis de silicone ou de papier sulfurisé (parchemin). Utiliser 8 à 12 poires Bartlett, pas trop hautes, mûres, non pelées. Une poire à la fois, faire

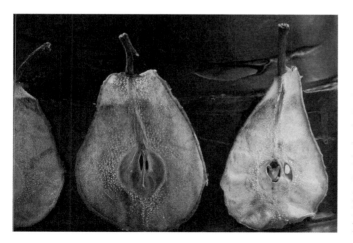

une coupe à la verticale près du cœur. À l'aide d'une mandoline ou d'un couteau pointu, découper dans chaque fruit une ou deux tranches fines en gardant le pédoncule ou du moins une épaisseur de pédoncule, jusqu'à obtenir environ 15 tranches. Tremper les tranches dans le jus de 1 citron au fur et à mesure et les déposer côte à côte sur la plaque sans qu'elles se touchent. Saupoudrer les tranches de poire de 1 c. à soupe de sucre (d'un seul côté). Sécher au four environ 2 heures 30 minutes en les retournant délicatement à mi-cuisson. Laisser refroidir les chips dans le four éteint – elles deviendront craquantes en refroidissant. Ranger les chips de poire dans un contenant hermétique. *Préparation : 15 minutes – Cuisson : 2 heures 30 minutes.*

— **VARIANTE**

Chips de fraise : Préchauffer le four à 100 °C (210 °F). Laver, sécher, équeuter puis trancher finement les fraises. Disposer les tranches côte à côte, sans qu'elles se chevauchent, sur une plaque tapissée de papier sulfurisé (parchemin). Saupoudrer de sucre glace et cuire au four 1 heure. Retourner les tranches, les saupoudrer de sucre glace et remettre au four 30 minutes. Laisser refroidir. Utiliser en collation, telles quelles, ou sur du yogourt ou de la crème glacée, ou encore pour garnir un gâteau.

Copeaux de noix de coco séchés

Ils donnent une incontestable note d'élégance au Gâteau blanc des tropiques (voir recette, p. 41) ou à tout autre dessert de réception. Préchauffer le four à 175 °C (350 °F). À l'aide d'un marteau et d'un gros clou, percer les « yeux » situés à l'une des extrémités d'une noix de coco fraîche. Recueillir l'eau de coco, filtrer et la réserver pour un autre usage. Cuire la noix de coco entière au four pendant 30 minutes. Si la coquille n'a pas éclaté d'elle-même, la fendre en deux ou trois en la frappant à l'aide du marteau. Défaire si possible en un minimum de morceaux ; il sera plus facile de les trancher à la mandoline et d'obtenir ainsi de longs copeaux de noix de coco.

Réduire la température du four à 100 °C (210 °F). Prélever la chair à l'aide d'un couteau en conservant la mince peau brune qui y adhère. Faire des copeaux fins à l'aide d'une mandoline ou d'un couteau économe. Déposer les copeaux directement sur une plaque de cuisson. Cuire au four, en remuant de temps à autre, de 1 heure 20 minutes à 1 heure 40 minutes ou jusqu'à ce que les copeaux soient croustillants, mais encore blancs. La durée de séchage dépend de l'épaisseur des copeaux et de la couleur de la plaque utilisée (plus elle est foncée, plus la cuisson est rapide). Laisser refroidir dans le four éteint. Conserver dans un contenant hermétique. *Préparation : 15 minutes – Cuisson : 1 heure 50 minutes.*

— Index
des recettes